勉強が楽しくなっちゃう本

著：QuizKnock

朝日新聞出版

PROLOGUE

QuizKnockの『勉強が楽しくなっちゃう本』を手に取っていただき、ありがとうございます。このプロローグでは、本書の狙いや本書に込めた思いを少しだけお伝えしたいと思います。「この本を読む！」と決めた方は、読み飛ばしていただいて大丈夫です。もし、手に取ってはみたものの、まだ中身を読むかどうか迷っている方がいたら、このプロローグだけでも読んでみてください。

この本は、まだ「勉強の楽しさ」と出会っていないすべての人に向けて書かれた、「勉強の楽しさ」と出会うための本です。その中でも、中学生や高校生のみなさんを意識していますが、大学生や社会人の方が読んでも、新しい「学び」に出会えるような内容になっていると思います。難しい箇所もありますが、そう感じたところは読み飛ばして大丈夫です。

みなさんは「勉強」に対してどんなイメージを持っていますか？

つまらないもの、つらく厳しいもの、他人と競い合わなければいけないもの、でも将来のためにイヤイヤでもやらなきゃいけないもの……。

こういったネガティブなイメージを持っている方が多いのではないでしょうか。

この本は、そういった「勉強」のイメージを変えようと思って作りました。大事なのは、勉強を自分自身の人生をもっと楽しむための手段としてとらえ直すことです。同じ範囲を、他人と常に比べながら進めなければいけない受験勉強よりももっと広く、自分の世界を広げていく手段としての勉強のイメージを、QuizKnockからみなさんに提供したいのです。

著名なアートディレクターである北川フラムさんの著書に、次のような言葉があります。

「美術は、人と異なったことをして褒められることはあっても叱られることはありません。美術は一人ひとりが異なった人間の、異なった表現だと考えられているからです」

同じことが、勉強についても言えるのではないか。**勉強の目的や在り方、内容は人によって全然違うものであっていい。その人自身が人生を楽しむためのものであっていい。**そういうメッセージを本書には込めました。

この本は、みなさんがポジティブなかたちで「勉強」と再会するための本です。ひとりでも多くの人の「勉強との付き合い方」を変えることができれば、と願っています。

QuizKnock

CONTENTS

PART 01

「好きなものについて知る／語る」って楽しい

PART 02

気の進まない勉強は「できると楽しい」から始めよう

PART 03
「つながる」って楽しい

COLUMN

STAFF

アートディレクション……加藤京子（Sidekick）
デザイン……我妻美幸（Sidekick）
マンガ……柏原昇店
撮影……東川哲也（朝日新聞出版写真部）
ヘアメイク……タナカミホ（KOOGEN）
DTP……（株）Office SASAI
校正……（株）ぷれす
執筆協力……田村正資
編集協力……小川裕子
企画編集……松浦美帆（朝日新聞出版）

「自分のための勉強」
について、僕たちと
一緒に考えてみよう！

本書の使い方

各章とも、マンガと文章でできています。さっと読みたい方はマンガから、じっくり読みたい方は文章から取り組んでみましょう。「勉強が楽しくなっちゃう」のに役立つQuizKnock独自の工夫が盛りだくさんです。

本書の冒頭、各章の冒頭にQuizKnockメンバーが登場するマンガを盛り込みました。各章の大まかな趣旨が理解できるはずです。初めから読み進めても、P9で自分がどんなタイプに当てはまるかチェックした上で好きな章から読み始めてもどちらでもOKです。

Point 02

Point 03

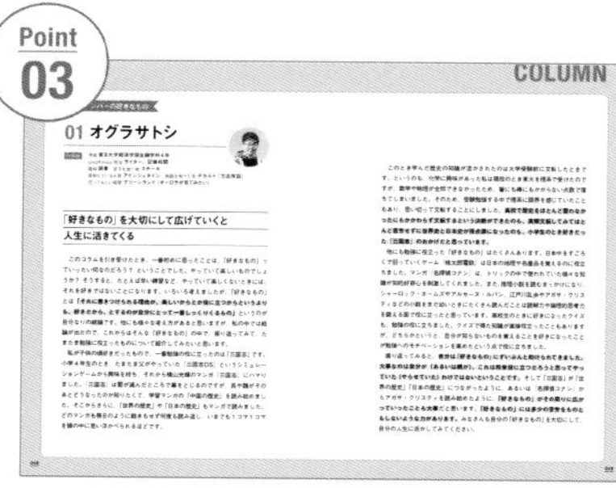

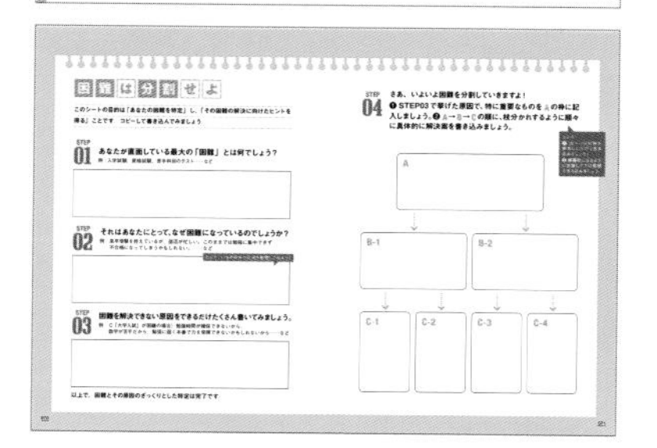

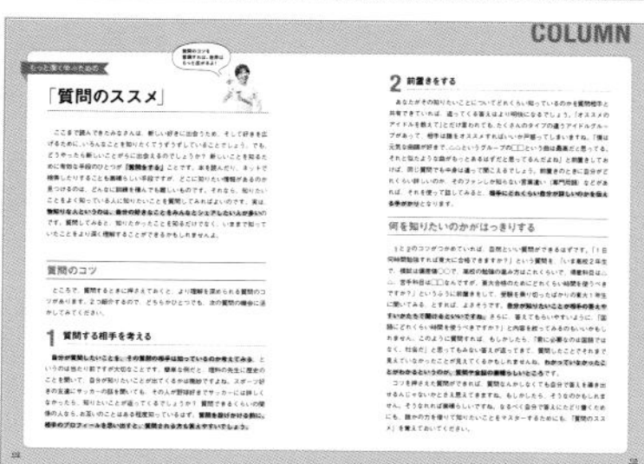

本文を読んでワークを実践してみましょう。1章では「好きなものを知って、深めて広げる」、2章では「目標達成に必要な勉強をゲーム化して楽しむ」、3章では「知識を共感、共有することで世界を広げる」ための思考をひも解いていきます。

QuizKnockメンバーの好きなもの、受験体験談、もっと学ぶための「質問のススメ」などなど、コラムも充実しています。QuizKnockメンバーの経験や考え方に触れたり吸収したりすることで、これまでの勉強の見方が変わってくるはずです。

≫ Check your type

自分がどんなタイプか診断してみよう！

本書では１～３の各章に“勉強が楽しくなっちゃう”ためのエッセンスを盛り込んでいます。
この診断で、自分に合った章から読み始めるのもオススメです。

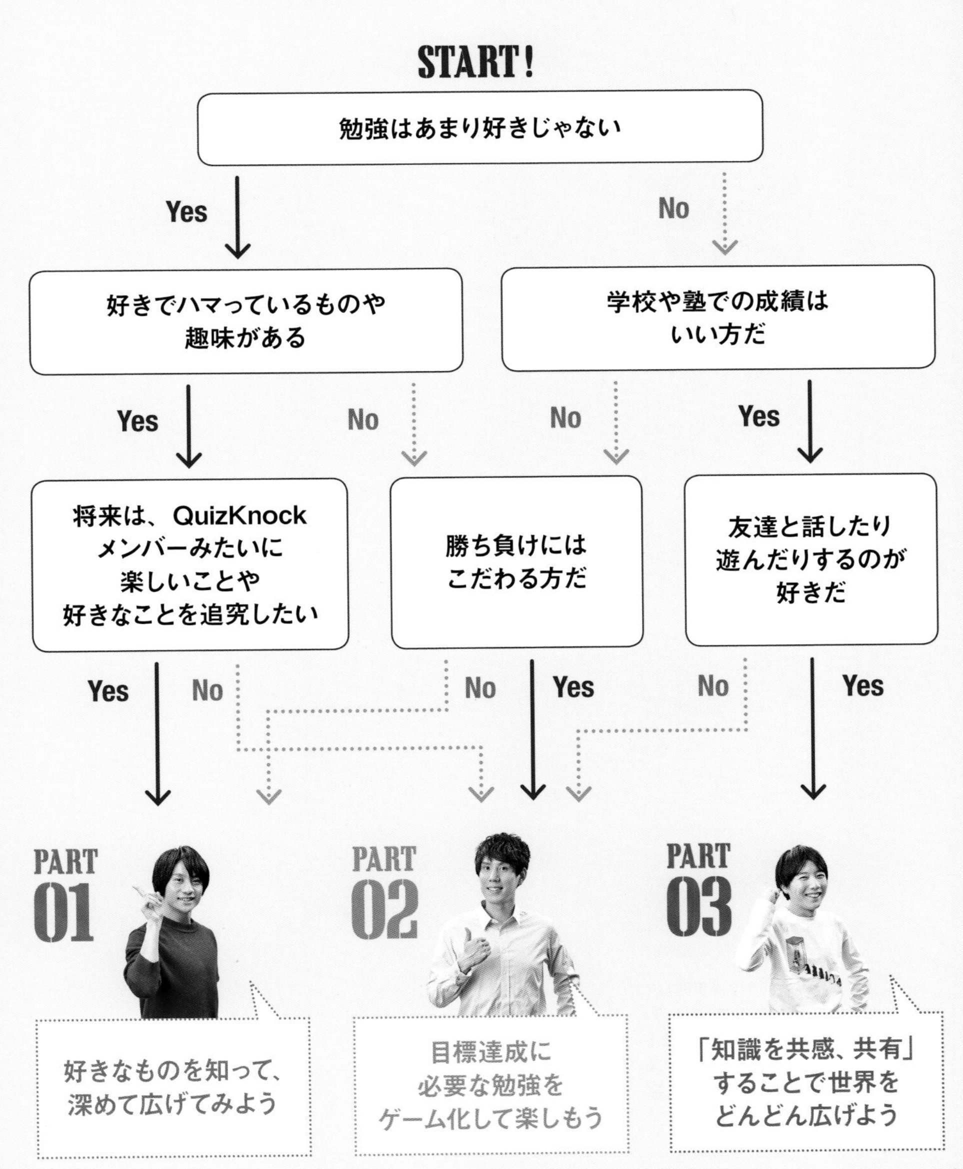

» Members

QuizKnock メンバー紹介

東大クイズ王・伊沢拓司が中心となって運営する、エンタメと知を融合させたメディアQuizKnock。「楽しいから始まる学び」をコンセプトに、何かを「知る」きっかけとなるような記事や動画を毎日発信しています。YouTubeチャンネルの登録者数は120万人を突破(2020年３月時点)。ここでは、本書に協力してくれた主要メンバーをご紹介します。

伊沢拓司 TAKUSHI IZAWA

QuizKnock CEOの伊沢拓司です！クイズプレイヤー、YouTuber、そして㈱QuizKnockのCEOとして活動しています。東京大学経済学部在学中にWebメディアQuizKnockを立ち上げました。趣味はサッカー観戦やギター。中学時代からクイズを愛し、『高校生クイズ』で2連覇。日々クイズを楽しみ、どうなればもっと楽しくなるかを考えて今に至ります。何かを面白がること、もしくは面白がっている人に話を聞くことで面白さを知ることが僕にとってのすべてのスタート地点です。

@tax_i_

須貝駿貴 SHUNKI SUGAI

こんにちは、ナイスガイの須貝です！東京大学教養学部卒、東京大学大学院総合文化研究科に在籍しています。専門は物性理論で、主に超伝導について研究しています。QuizKnockでは動画に出演する他、みなさんのところにお話をしに行くための原稿を考えたりしています。好きなものや趣味はたくさんありますが、それをなぜ好きになったかと言えば、好きになる前の「気になる」の時点で徹底的に調べるオタク気質だからだと思います。

@Sugai_Shunki

山本祥彰 YOSHIAKI YAMAMOTO

QuizKnockの山本祥彰です。YouTube動画の企画・出演・編集、謎解きの作成などの業務を行っています。多くの人に面白いと思ってもらえるクイズや企画、謎解きを作れるよう、日々アンテナを張って生活しています。最近の趣味は読書をしながらクイズを作ることで、自分の理解を深めたり、ふとした発見を他人と共有したりするためにもクイズを活用しています。

@quiz_yamamoto

マンガの登場人物

本書のマンガに登場する仲間たちをご紹介します。QuizKnockメンバーとの交流の中で「勉強の捉え方」がどんどん変わっていきます。その成長過程をマンガを通して楽しんでみてください。

みかこ（姉）

高校３年生女子。趣味は読書とピアノ。勉強は得意で学校の成績も優秀。将来は患者さんから頼られる医者になることを目指して、受験勉強に打ち込んでいる。QuizKnockのファンでクイズ番組も大好き。

［QuizKnock協力メンバー］ 藤原／Jennifer／コジマ／宮原仁／はぶき りさ／ノブ

こうちゃん KO・CHAN

QuizKnockライターのこうちゃんです。YouTube動画の企画・出演、記事の校閲などの仕事をやっています。みなさんが素直に「面白い！」「笑える！」と思えて、かつ学びがあるような動画や記事を作っていきたいと思っています。趣味は友達と遊ぶことです。誰かと話すことは、自分の知らない世界を知ることにつながります。地元の友達とカラオケをしたり、大学の友達とクイズをしたり、いろんな友達と遊んで、視野を広げてます。

@Miracle_Fusion

乾 INUI

QuizKnockライターの乾です。東京大学経済学部に在学中で、学生団体FairWindの代表も務めています。ふだんはクイズ記事を中心に、様々な記事を執筆しています。好きなものはラーメンと猫です。それと、「できるようにすること」が好きです。受験勉強を通して得た「できないことをできるようにする」経験の楽しさを伝え、勉強以外の分野においても、何かを頑張るみなさんのコツや励みになったらいいなと思っています。

@QK_inui

オグラサトシ SATOSHI OGURA

QuizKnockライターのオグラサトシです。ふだんは様々なジャンルのクイズ記事や、身近な疑問に答える解説記事を書いています。趣味は読書で、特によく読むジャンルはミステリと経済学です。ミステリと経済学というと、一見何の共通点もないように思われるかもしれませんが、「謎」について論理的に因果関係を追っていくという点で似ているのです。「どうして」という疑問が解決するのが楽しみで、自分でも日々疑問を探求しています。

@qk_ogura

ヒロシ（弟）

中学２年生男子。ソフトテニス部に所属。勉強は苦手で学校の成績は下から数えた方が早い。ネットで動画を見たり、マンガを読んでいることが多い。これといって夢中になれるものがなく、将来の夢も漠然としている。

アシスタントキャラクター・
ノク太郎

QuizKnockメンバーのアシスタントキャラクター。学生の悩みを聞き出したり、QuizKnockメンバーの話をやさしく伝えたりしてくれるが、ときどきドジな一面も。学生目線で寄り添ってくれる、癒し系のマスコットキャラクター。

QuizKnock

あぁぁ……
全然 勉強する気が
起きない

あなたも
来年受験生
でしょ？
しっかりしてよ！
姉としても心配…

だからこうやって
学習方法を学びに
QuizKnockに
やってきたんだろ
QuizKnockのYouTubeでも見よう…

!?
YouTuberみたいに
好きなことだけして
生きていけたら
いいのに……
じゃあ、
大好きなことを
究めてみない？
サッ！

QuizKnockの
伊沢さん!?
やぁ!!
ボクは
アシスタントの
ノク太郎だヨ！

こう見えても
QuizKnockで訓練して
知能がすごく発達した
スーパーモンキー
なんだヨ！
えっへん!
すご〜い!!
このおサルさん
喋れるの？

ヨロシク!
ははは……
ヒロシより賢かったり
するんじゃない？
フフフ…
ドン!

ところで
2人は勉強は
好き？

僕はあまり
好きじゃない
です……

君は勉強が
嫌いそうな顔
してるネ……
私は勉強が
元々好きで
得意な方です

ヒロシくんは
どうして嫌いな
勉強をやるの？
学校の先生や親に
言われるから仕方がなく……
でも言われて「やらなくちゃ」と
思うのも苦痛で……
?

2人の将来の
夢は何？

私は医者になって
多くの人を助けたいと
思っています
将来の夢？
まだ具体的には
考えてないなあ
へへへ…
！

サボりたくなって
逃げたくなる
こともあります
ただ、医学部受験の
壁は高いし
受験勉強自体は，
苦しい……
合格

ところで2人は
自分が何のために
勉強をするのか考えた
ことはあるかい？
大変だ…
なるほど
ネ～
何のため？

先生や親の
期待に応える
ため？
それもあるかも
しれない

いい学校に
入るため？
それもあるかも
しれない

でも、僕がいま
聞きたかったのは
「あなたが」何のために
勉強するか？
ということなんだ

社会で立派にやって
いかなきゃならない
とか……
学校の先生や
親に言われて
とか……

そういうふうに強制されたり
他人と常に比べながら
やる勉強は
苦しいし退屈じゃない？
そう言われると
自分のために
勉強する
理由なんて
考えたこと
なかったわ

そこが一番の
ポイントなんだと
思うよ
!

自分から勉強しようと
思ったことなんて
なかったからな……
ヤレヤレ…

勉強が好きな人とか
勉強に打ち込める人は
「自分のために」
勉強している人が
多いと思うんだ
自分のためにに!

彼らは
それを楽しめるし
積極的に
打ち込めるんじゃ
ないかな？
つまり
「自分が楽しいから」
「自分がやりたいことを
実現するために」
勉強をしているから
楽しい!
こくご
いいこと
言うよなぁ…

親や先生や
学校のために
やるだけが
勉強じゃない
ボクも
ボクのために
言葉を学ん
だのサ！
へへへ…

「自分のための勉強」
というものを
一回考えて
みようよ！

ボクにも
できたんダ
君にも
できるサ
キキキッ
くやしい…

コラー!!
なるほど
「自分のための勉強」
か……
ちょっと
考えてみよう

それこそ ずっと
「勉強のための勉強」しか
やってきてないからね
どうすれば
「自分のための
勉強」ができるか
なんてわから
ないわ

ボクも
手伝うヨ！
**大丈夫！
それを僕たちと
一緒に
この本を通じて
学んで
いくんだよ！**

勉強そのものを楽しみ
人生をより楽しく
するための勉強について
一緒に考えてみよう
勉強を仕方なく
イヤイヤやるなんて
もったいない！
おーっ!!

PART 01

「好きなものについて知る／語る」って楽しい

「好きなもの」に触れている時間って楽しいですよね。第1章では、みなさんが「好きなもの」を見つけ、もっと深く味わえるようになるための方法をお伝えしていきます。いちど勉強のことはすっかり忘れて、「楽しいこと」や「好きなこと」について考えてみましょう。「好きなもののどんなところが好きか」を浮かび上がらせることができれば、もっとたくさんの「好き」に出会うことができます。そうすれば世界が広がり、毎日がもっと彩り豊かに変わってくるはずです。

学校なんか行かないで
好きなことして
暮らしたいな〜
ピンポーン

学校の勉強はつまんないし
ずっと家で動画を見たり
マンガを読んだりして
平和に暮らしたいや！

ヒロシくんはじめまして
QuizKnockの
山本です！
おなじみ
アシスタントの
ノク太郎だヨ！
ガチャリ!!

いまのぼやき
聞いちゃったよ
本当に勉強は
つまらないの
かな？

学校の授業は
退屈だから
こうやって家で
ゴロゴロしていたい
なって……

じゃあ、聞くネ！
ヒロシくんの
「好きなもの」って
何なノ？

そうだな〜
ネットの動画と
スポーツマンガ
かな？
大好きな
テニスマンガの影響で
ソフトテニス部に
入部したほどさ
へー…
ヘヘヘ…
マンガ

動画やマンガの
どういうところが
好きなの
かな？
うーん、
何となく
暇つぶし
ですかね？

それでも好きなんだよネ？
好きなことがあるのは
とってもいいことだと
思うヨ
ブハハ…
面白い!!
マンガ

「好きなもの」を
もっとたくさん増やして
楽しめるように
なろうよ！

確かに生活が
好きなもの
だらけになれば
嬉しいけれど
でも どうしたら
いいか
わからないや

大丈夫！ ノク太郎
アレを出して
了解!!

「好きなもの言語化ワークシート」と
「マインドマップ」！
（詳細はP36－39とP42－45へ）
ヒロシくんには
この２つの
アイテムを
授けよう！

「好きなもの言語化ワークシート」の使い方

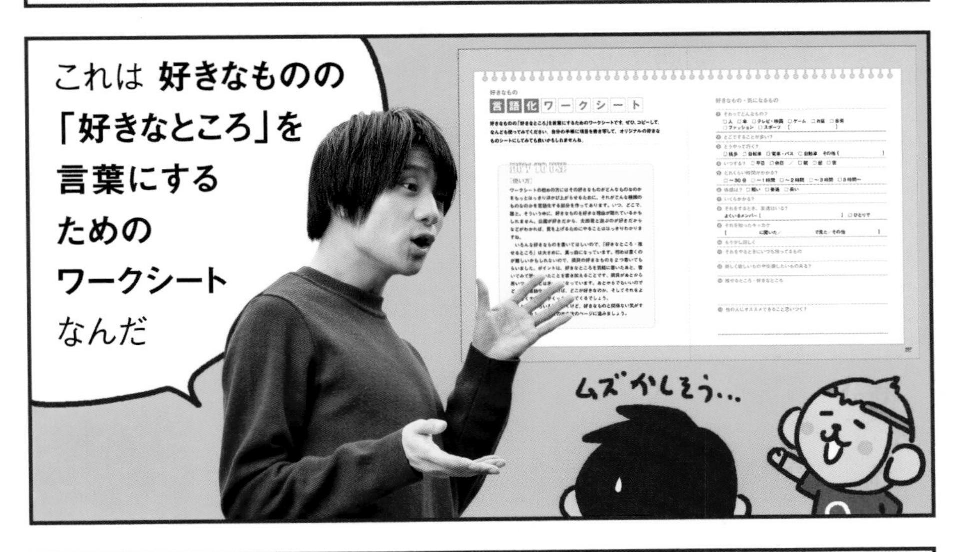

自分が好きなものの
「好きな理由」を
浮かび上がらせることが
大切なんだヨ

「マインドマップ」の使い方

「好きなもの」の
周りにあるものを
もっとよく知れば
「好きなもの」を
もっと深く味わえる
ようになるでしょ？

それが勉強
なんだヨ
エッヘン！
好きなものを
深掘りする
ことが?!
えらそうに…
でも 好きなものを
深めるための
勉強なら楽しいかも

スポーツマンガが好きなら
このマンガもきっと
楽しめると思うよ
ありがとう！
これも読んで
みるよ
どうぞ！
うグーメン

1 好きなこと／楽しいことについて考えてみよう

ポイント

- **勉強は「目的」ではなく、楽しいことを楽しむための「手段」**
- **好きなことをもっと深く味わうには「量」や「時間」に加えて「体験の質」についても考えてみよう**

「勉強が好きそうに見える人」ってどんな人？

この章でみなさんに伝えたいメッセージは「**楽しいことを究めてもっと楽しめるようになろう**」ということです。この章に書いてあることは、もしかするとみなさんが期待しているような「勉強」の話ではないかもしれません。また、「勉強」という言葉に対してネガティブなイメージを持っている人もいると思います。だから、**いちど勉強のことはすっかり忘れて、「楽しいこと」や「好きなこと」について考えてみたい**と思います。

でも、「楽しいこと」や「好きなこと」を考えることにどんな意味があるの？ と思う人のために、種明かしだけしておきましょう。あなたの知っている人の中に、「**この人は勉強が好きなんだな**」とか「**どうしてこんなに勉強を頑張れるんだろう**」とか「**自分もこうなれたら楽なのにな**」と思わせる人がひとりはいると思います。そういう人は本当に勉強が好き、勉強が楽しいと思っているのでしょうか。もちろん、ごくまれにそういう人もいるかもしれません。ただ、多くの「**勉強が好きそうに見える人」は、実は「（勉強以外の）楽しいことをもっと楽しもうとしているだけ**」だったりします。当人からすると、勉強とは違った自分の好きなもの、楽しいものにのめり込んでいるだけなのです。
つまり、「勉強が好きそうに見える人」にとっては、**勉強することは目的ではなく、自分の楽しいことをもっと楽しむための手段**になっているんです。QuizKnockに所属するメンバーも、その多くが勉強以外のものにのめり込んでいて、それをもっと楽しむために勉強を利用しているのです。
あなたにとっての「楽しいこと」や「好きなこと」を考えてみてください。どんなものが思い浮かびますか？ 友達との会話、美味しいご飯、ゲームやマンガ、SNS……たくさん思い浮かぶ人も、あまり思い浮かばない人もいると思います。たくさん思い浮かんだ人は、好きなことをもっと深く楽しめるようになること、あまり思い浮かばなかった人は、好きなものをもっとたくさん見つけること、それがこの章の目標です。
まずは、**好きなことをもっと深く楽しめるようになるってどういうこと？** というところから考えてみましょう。あなたが好きなことをしている様子を思い浮かべてみてください。好きなことをしている時間は、楽しかったり、幸せだったりしますよね。**じゃあそこで、もっと楽しみたい、もっと幸せになりたいと思ったらどうしますか？**
ひとつの答えは、**「好きなことをする時間や好きなものの量を増やす」**ですね。ゲームをするのが好きならもう１時間ゲームをする。ステーキが好きなら、食べられるだけおかわりをする。それもひとつの答えです。
ただ、答えはもうひとつあります。そして、あなたから見て「勉強が好きそうに見える人」は、こちらの答えをする可能性が高いかもしれません。その答えとは、**「好きなものの体験の質を上げる」**です。このことについて、もう少し詳しく考えてみましょう。

2 「体験の質」について考えてみよう

ポイント

- ☑ どうしたら「体験の質」が向上するか、いろんな工夫をしてみよう
- ☑ 工夫によって向上した質が具体的に何なのかを考えてみよう

体験を「楽しい」→「めっちゃ楽しい」ものへ

いまよりももっと楽しい生活のことを考えてみましょう。それを実現するために**「好きなことに関わる時間や量を増やす」**という方法がありました。この章ではもうひとつの答えとして、**「好きなものの体験の質を上げる」**という方法を提案したいと思います。

「体験の質」って何だ？ と思いますよね。「体験のクオリティ」と言い換えることもできますが、「体験の質を上げる」というのは、**「楽しい（幸せ）」から「とても楽しい（幸せ）」状態に持っていく**、ということです。さきほどのゲームとステーキの例で言えば、もっと面白いゲームがないか探したり、もっと美味しいステーキのお店を検索してみたり、というのも「体験の質を上げる」ためにできることですね。他にも、いちどゲームのコントローラーを置いて、どうやったら効率的にステージをクリアできるかの戦略を立てたり、ステーキの焼き加減や味つけについて調べて自分好みの食べ方を考える、というのも「体験の質を上げる」ためにできることです。

時間や量を増やさなくても、いろんな工夫をすることで、「体験の質を上げる」ことができる。そうすると、それは**「楽しい（幸せな）」体験から「とても楽しい（幸せな）」体験**にな

ります。

いまここで出したような例であれば、「体験の質を上げる」ためにどうしたらいいか、何となく想像できますよね。話題になっているゲームを買ったり、攻略サイトを眺めたりすることはゲームが好きな人なら多くの人がやっていると思いますし、レビューサイトで評価の高いステーキ屋さんを探したりするようなことは、多くの人がごく日常的にやっていることだと思います。

でも、好きなものは人それぞれ違いますよね。たとえば、あるバンドの曲を聴くのが大好きな人は、どうやったら「体験の質」を上げることができるでしょうか。観光地やリゾートに旅行をするのが好きな人は、どうやったら「体験の質」を上げることができるでしょうか。こういう例になってくると、どう工夫すれば「もっと楽しく」なるのかを考えるのは少し難しくなってくるかもしれません。そこで、なるべく多くの人がもっと楽しい生活を実現できるように、「体験の質を上げる」ためにはそれぞれの人が何をすればいいのか、もう少し考えてみましょう。

いきなり音楽や旅行の例を考えると難しそうなので、まずは簡単そうな例を振り返るところから始めてみたいと思います。さきほど出てきたゲームと食事です。ゲームと食事の「体験の質を上げよう」と思ったときに、ゲームやお店の評判を調べる、戦略や食べ方を工夫する、という方法がありました。こうした工夫によって、「体験の質」が上がっていくわけですが、では、そこで**実際に向上している質って何でしょう？ ゲームの場合は？ 食事の場合は？** ページをめくる前に少し考えてみてください。

3 好きなものの「どんなところが好きか？」を考えよう

ポイント

- 自分が向上させたい「体験の質」をしっかりと特定しよう
- 好きなものの「どんなところが好きか」を考えよう

向上させたい「体験の質」を見極める

「もっと楽しく」なるためには、好きなものに触れる時間や量を増やす以外にも「体験の質を上げる」という方法がありました。次に考えてみたいのは、その「体験の質」って何だろう？ということです。**あなたにとって、向上させたい「体験の質」がどういうものなのかをしっかりと特定することができれば、おのずと何をしたらいいかもわかってくるはず**です。

さきほど、音楽や旅行の例がゲームや食事の例よりも難しいと書いたのは、音楽を鑑賞したり旅行をしたりするときに、いったい何が「体験の質」なのかがわかりにくいからです。逆に言うと、ゲームや食事の「体験の質」は、わかりやすいということです。ゲームであれば、「ステージをクリアしたときの喜び」、食事であればもっとわかりやすく「美味しさ」などでしょうか。もちろん、人によってゲームや食事に求めるものは異なると思いますが、自分がその体験の「どんなところが好きか」はとてもわかりやすいですよね。つまり、**好きなものの「体験の質」というのは、あなたが「どんなところが好きか」ということなのです。**

自分がゲームや食事の「どんなところが好きか」、**その体験に何を求めているのかを言葉にすることができれば、「体験の**

質を上げる」ために何をすればいいのかはすぐにわかりますよね。「美味しいステーキ」があなたの好きなものだったら、もっと美味しいステーキ屋に行ったり、自分で美味しいステーキを作る方法を調べたりする、といった感じでしょうか。

ところが、音楽や旅行の場合はどうでしょうか。もう少し難しいと思います。たとえばあるバンドが好きとしても、その「メロディ」が好きなのか「歌詞」が好きなのか、はたまた演奏している人たちの「ビジュアル」が好きなのか、人によって全然違うと思いますし、どれかひとつだけじゃなくていろんな要素が混ざり合ったもの（あえて言うなら「世界観」？）が好きなんだ、という言い方が一番ふさわしいかもしれません。旅行の場合も、知り合いがいないところでのびのびと過ごすことが好きな人もいれば、歴史的な建物や土地を訪れて人類の歴史に思いを馳せるのが好きな人もいますし、現地の食文化を体験するのが好き、という人もいるでしょう。

Episode

ミニコラム

須貝が好きだったもの

小学校のときから野球が好きでした。小学生のあいだは変化球を投げちゃいけないんですけど、でも種類はたくさん知りたかったし投げられるようになりたかった。それでいろいろ調べてみると、カーブとかスライダーみたいに有名なものから、ワンシームみたいな謎の球種が出てきたりもする。

「何が違うんだろう？」ってもっと調べていくと、どの変化球も何か仕組みというか理由があって変化するんだなっていうことがわかってきますよね。空気の抵抗が……みたいな。それを知るうちに、飛行機が同じ理由で飛んでるみたいな知識も得られたりする。そうするとちょっと飛行機のことが好きになっていくんですよね。

4 実際に「好きなところ」を言葉にしてみよう

ポイント

☑ **好きなところを言葉にできれば、「体験の質」は上げやすくなる**
☑ **言葉にするには慣れが必要。ワークシートで練習してみよう**

言語化して「好きなところ」を特定しよう

より複雑な体験の場合は、もっとうまく言葉にしないとあなたが「好きなところ」、つまり「体験の質」はうまく特定できません（もちろん、ゲームや食事をより複雑な体験として楽しんでいる人もたくさんいるので、これはあくまで例としてお考えください）。でも、**言語化することで「体験の質」をうまく特定することができれば、そのあとは「体験の質を上げる」ためにどんな工夫をすればいいのかが、考えやすくなります。**

ここまで書いてきたことを簡単にまとめておきましょう。

- **「好きなことをもっと楽しむ」には、時間や量を増やす以外にも「体験の質を上げる」という方法がある。**
- **「体験の質を上げる」ためには、自分が好きなことの「どんなところが好きか」を特定してあげるとよい。**
- **「どんなところが好きか」を特定するためには、自分が「何を楽しんでいるのか」を言語化してあげるとよい。**

ここまできたところで、次のように思う人がいるかもしれません。

- **そもそも、自分がやっていることを言葉にするのが苦手なんだけど……。**
- **言語化とか工夫とか、いろいろやっている時間に好きなことをやったらいいんじゃないの？**

こういった悩みや疑問にも順番にお答えしていきます。まずは２番目から。この章では、「量を増やす」方法よりも「体験の質を上げる」方法に注目してきました。しかし、これは、「体験の質を上げる」方法の方が常に優れているということではありません。

では、「体験の質を上げる」方法はどんなことに向いているのでしょうか。たとえば、食事の場合を考えてみましょう。多くの人が夕食は１日に１回しか食べません。いくらステーキが好きだからといって、１回の夕食で何枚も食べることはできませんよね。こういうふうに、できる回数や量が限られているものであれば、事前にもっと美味しい店を探したりといった工夫をする意味はとても大きいでしょう。他にも、スポーツの試合などのように、ルールを覚えたり、練習したり、戦略を学んだりといった準備が「体験の質」に大きな影響を与えるものに関しては、「体験の質を上げる」ために時間を使う意味があると言えるでしょう。映画や劇のように行われる時間が決まっているものについても、誰が出ているか、どんなストーリーや背景を持っているかを事前に調べておくと、より深く物語や演出を楽しむことができるかもしれません。

ここでさきほどのひとつ目の悩みに戻りましょう。**好きなものの「どんなところが好きか」を言語化するのは、正直なところ、慣れないととても難しい**です。そこで、みなさんがこの作業に慣れるために使えるツールとして、**「好きなものを言語化するワークシート」**を作ってみました。

好きなもの

言語化ワークシート

好きなものの「好きなところ」を言葉にするためのワークシートです。ぜひ、コピーして何度も使ってみてください。自分の手帳に項目を書き写して、オリジナルの好きなものシートにしてみてもいいかもしれませんね。

HOW TO USE

［使い方］

ワークシートの初めの方には、好きなもののイメージがどんなものなのかをはっきり浮かび上がらせるために、好きなもののジャンルを言語化する部分を作ってあります。いつ、どこで、誰と……そういった中に、好きなものを好きな理由が隠れているかもしれません。公園が好きだから、太郎くんと遊ぶのが好きだからなどがわかれば、質を上げるためにやることもはっきりわかりますね。

好きなものについていろんなことを書いて欲しいので、「好きなところ・推せるところ」のスペースは大きめに取っています。初めは書くのが難しいかもしれないので、参考に、須貝の好きなものを２つ書いてみました。ポイントは、好きなところを気軽に書いたあとで、書いてみて思いついたことを書き加えることです。須貝があとから思いついたことは吹き出しになっています。あとからでもいいのでどんどん言語化していけば、どこが好きなのか、そしてそれをより楽しくする方法は何かが見えてくるでしょう。

あとからいろいろ思いつくけど、好きなものと関係ない気がする？ そんなときにはP40に進みましょう。

好きなもの・気になるもの

❶ それってどんなもの？

□人 □物 □動物 □本 □テレビ・映画 □ゲーム □お店 □音楽
□食事 □場所 □イベント □ファッション □スポーツ [ ]

❷ どこですることが多い？

❸ どうやって行く？

□徒歩 □自転車 □電車・バス □自動車 その他 [ ]

❹ いつする？ □平日 □休日 ／ □朝 □昼 □夜

❺ どれくらい時間がかかる？

□～30分 □～1時間 □～2時間 □～3時間 □3時間～

❻ 体感は？ □短い □ふつう □長い

❼ いくらかかる？

❽ それをするとき、友達はいる？

よくいるメンバー [ ] □ひとりで

❾ それを知ったきっかけ

[に聞いた／ で見た／その他]

❿ もう少し詳しく

⓫ それをやるときにいつも持ってるもの

⓬ 新しく欲しいものや交換したいものある？

⓭ 好きなところ・推せるところ

⓮ 他の人にオススメできることで思いつくことは？

好きなもの

言語化ワークシート

具体例 01 好きなもの・気になるもの **野球！**

❶ それってどんなもの？

☐ 人 ☐ 物 ☐ 動物 ☐ 本 ☐ テレビ・映画 ☐ ゲーム ☐ お店 ☐ 音楽
☐ 食事 ☐ 場所 ☐ イベント ☐ ファッション ☑ スポーツ [ ]

❷ どこですることが多い？ **いろんな球場。** A 球場は多いけどちょっと遠い

❸ どうやって行く？

☐ 徒歩 ☐ 自転車 ☑ 電車・バス ☐ 自動車 その他 [ ]

❹ いつする？ ☐ 平日 ☑ 休日 ／ ☐ 朝 ☑ 昼 ☐ 夜

❺ どれくらい時間がかかる？

☐ ～30 分 ☐ ～1 時間 ☐ ～2 時間 ☑ ～3 時間 ☐ 3 時間～

❻ 体感は？ ☐ 短い ☑ ふつう ☐ 長い

❼ いくらかかる？ **700円**（球場代のワリカン）。 そういえば 700 円ってコーヒーショップのコーヒーよりちょっと高いくらいなんだな

❽ それをするとき、友達はいる？

よくいるメンバー [**チームSYのメンバー！**] ☐ ひとりで

SY のメンバーとはよくご飯を食べに行くかも

❾ それを知ったきっかけ

[に聞いた／ で見た／その他]

❿ もう少し詳しく **小学校のとき男子の友達がだいたい野球の少年団に入ってた。**

あのときの友達はみんなミニ四駆にハマってたな

⓫ それをやるときにいつも持ってるもの
グラブとスパイクとユニフォーム。

⓬ 新しく欲しいものや交換したいものある？
スパイクを新しくしたいかも。自分用のバットも欲しい気がする。

⓭ 好きなところ・推せるところ
クリーンヒットを打ったときの感覚！ スライダーを投げてるときが何か楽しい。
グラブの革の匂いは何かいい。

⓮ 他の人にオススメできることで思いつくことは？
ボールを投げると、肩が動くし意外と肩こりに効くかも？

具体例 02 好きなもの・気になるもの **ピュアモン！**

❶ それってどんなもの？

☑人 □物 □動物 □本 □テレビ・映画 □ゲーム □お店 ☑音楽
□食事 □場所 □イベント □ファッション □スポーツ［ **アイドル・声優** ］

❷ どこですることが多い？ **ライブハウスとか都内のCDショップとか。**

❸ どうやって行く？

□徒歩 □自転車 ☑電車・バス □自動車 その他［ ］

❹ いつする？ □平日 ☑休日 ／ □朝 ☑昼 ☑夜

❺ どれくらい時間がかかる？

□～30分 □～1時間 □～2時間 □～3時間 ☑3時間～

❻ 体感は？ ☑短い □ふつう □長い

❼ いくらかかる？ **毎回6000円くらい？ 1万円くらいまでは使う。**

❽ それをするとき、友達はいる？

○○さんと△△くんは最近別のアイドルも見に行ってるって言ってたな

よくいるメンバー［ **オタクの○○さんと△△くんはいつもいる** ］ □ひとりで

❾ それを知ったきっかけ

［ に聞いた／ **Twitter** で見た／その他 ］

❿ もう少し詳しく **2017年の春にTwitterで新人アイドル声優デビューってのが回ってきて、イベントも入場無料だったから軽い気持ちで。芹澤優ちゃんも出るしA応Pも出るみたいだったし。**

⓫ それをやるときにいつも持ってるもの

特に持っていかない。

ペンライト持ってるとクラップしづらいことに気づいた

そういえば最近軽い気持ちで無料イベントに行くのやってないな。今度やろうかな

⓬ 新しく欲しいものや交換したいものある？

⓭ 好きなところ・推せるところ

みんな顔が可愛い。声優さんだから声が可愛いのは当然。握手会やチェキ会も楽しい。話をするのが楽しくて、好きなマンガがかぶってたりするとめっちゃ盛り上がって何回も通いたくなる。ライブ中に△△くんと振りコピしたりコールしたりするのも最高！ やっぱライブは踊ってなんぼだよな！

⓮ 他の人にオススメできることで思いつくことは？

『教えてダーウィン』と『まだ誰も知らない明日へ』は志倉千代丸さん作曲だから楽曲派のオタクもニッコリ。

ピュアモンといえばStand-Up!Recordsだけど、同レーベルのイケてるハーツもいいんだよな

5 言語化から始まる「好き」の連想ゲーム

ポイント

- ☑ 自分で言葉にした「好き」をたどれば、たくさんの「好きになれそうなもの」が見つかる
- ☑「好き」の連想ゲームで、世界がもっと広がる

好きなものを深めるだけでなく、増やしていこう

前のページで、好きなものを言語化して分析するためのツールを紹介しました。みなさんの好きなものをもっと深く楽しむために、そして好きなものをもっと好きになるために、ぜひ活用してみてください。

ここまで、「体験の質を上げる」ためにどんなことができるかを考えてきました。ここからはさらに、**「体験を多様化する」**という方向で日常をもっと楽しくする方法について考えてみたいと思います。「多様化」は少し硬い表現ですが、**好きなことや楽しいことの種類を増やす**、という意味で使っています。

さきほどのワークシートでみなさんにやってもらった言語化の効果は、自分がいま好きなものについての理解が深まるだけではありません。**「どんなところが好きか」をうまく言葉にできれば、自分がこれまで体験したことのないものの中にある、「好きになれそうなもの」を効率よく見つけることができるようになります。**

たとえば、あなたが『HiGH&LOW』というドラマ・映画シリーズを好んでいるとしましょう。このシリーズのどんなところが好きかを自分なりに分析してみたら、その類(たぐい)まれな「アク

ションシーン」が好きだ、ということがわかったとします。そうしたら、ドラマや映画の中で「アクション」というジャンルに当てはまる作品をあなたが好きになる可能性は高いですよね。そうやって新しいドラマや映画に手を伸ばして、好きな作品が増えていく。実際にこういう経験をしたことのある人は多いんじゃないでしょうか。いまは作品のジャンルを例に出しましたが、人によってはもっと細かく「イギリスを舞台にした映画」とか「ピエロが出てくる映画」みたいなことであるかもしれません。そうすると、あなたオリジナルの好きなものリストができていきます。

「好き」を言葉にすると、「体験の質を上げる」ヒントになるだけじゃなく、もっとたくさんの「好き」に出会う確率が上がります。ポイントは**「連想ゲーム」**です。さきほど「アクション」という言葉を取り出したように、自分が思いついた好きなところだけを切り離して、それに当てはまるものを思い浮かべたり、検索したりしてみましょう。

ワークシートを使って「好き」を言語化したあとに、あなたの好きな世界をもっと広げてくれるツールが「マインドマップ」です。次のページで紹介していきます。

Episode

ミニコラム

乾が好きだったもの

僕は歌を聴くのが好きで、最初のうちは日本の歌ばかり聴いていたんですけど、洋楽とかも聴くようになって、これをうまく発音しながら歌えたらかっこいいなと思ったんですよね。誰かと競ったりはしてないですけど、英語の歌詞を見て発音の練習をするというのをたくさんやりました。英語の勉強という意識はあまりなくて、とにかくネイティブっぽく歌えるようになったらかっこいいなっていうことばかり考えてましたね。

もっとたくさんの「好き」に出会うための

マインドマップ

マインドマップとは？

英国のトニー・ブザンによって提唱された、頭の中で考えていることを目に見えるかたちで描き出し、思考を整理する手法です。今回はこれを使って、みなさんの「好き」の可能性をもっと広げていきましょう！

このマインドマップの目標

このマインドマップでは、みなさんがいままで気づいていなかった新たな「好き」を見つけることが目標です。みなさんは友達にオススメされたものがあまりピンとこなかったという経験はないでしょうか？ それは、オススメされるものは、あくまで他人の「好き」でしかないからです。このマインドマップでは、あなたにとっての「新たな好き」に出会えるように、まずはいまの自分の「好き」を分析します。そこから出てきたいまの「好き」の理由が、「新たな好き」への道しるべになるはずです。

基本的な手順

このマインドマップでは、丸と線を使って思考を整理していきます。P44－45に各手順の例を書いていますので、そちらも参考にしてみてください。

❶ 中央の丸に「自分の好きなもの」を書く

これはどんなものでも構いません！ 初めて使う人は、まずは自分の一番好きなものでやってみましょう。

❷ 好きを細分化する

あなたの「好き」を突き詰めていきましょう。❶で書いた好きなものに対して次の２つの質問を繰り返すことによって、「好き」の理由をあぶり出していきます。

・そのものの「何が」好きか（「好き」の中で特に好きな要素）

・そのものが「なぜ」好きか（「好き」の根本的な理由）

また、❷を書くにあたって、P36－39の「好きなもの言語化ワークシート」もぜひ参考にしましょう！

❸ 好きから広げる

細分化された自分の「好き」に関連するワードを考えていきましょう。たとえばP44の例では「こうちゃん」という要素からは「群馬」や「アンクレット」がつながっていきます。全く違う発想をしてみると自分では思いつかなかったような「好き」に出会えるかもしれませんよ。

❹ 好きを予想する

ここがこのマインドマップの最大の特徴です。❶～❸までの結果から、自分の新たな「好き」を予想してみましょう。たとえばP44の例では「自分にはできない」という要素から、「スポーツのスーパープレー」という新たな「好き」を予想して矢印でつけ加えています。「好き」の予想は自由にしてもらって構いません。自分で想像してみたり、インターネットで検索してみたりして矢印でつないでいきましょう。

マインドマップを書く上での３つのアドバイス

・より好きな要素や理由は大きな丸で書いたり、色を変えたりしてみましょう。

・必ずしも単語で書く必要はありません。文章で表現してもいいでしょう。

・できるだけ具体的な要素を書きましょう。抽象的にまとめすぎると、「映画」→「ストーリー」→「小説」というように簡単に予想できる結論にたどり着いてしまいがちです。

最後に

マインドマップをすべて書き終えたら、それぞれの枝の終点を見てみてください。そこは自分の「好き」の可能性であふれていることでしょう。食わず嫌いをせず、新たな一歩を踏み出してみてください。みなさんが新たな「好き」に出会えることを願っています。

もっとたくさんの「好き」に出会うための

マインドマップ

マインドマップの具体例です。参考にしてみてください。必ずしもマインドマップを使用する必要はなく、このような「思考法」を習得することが大切です。

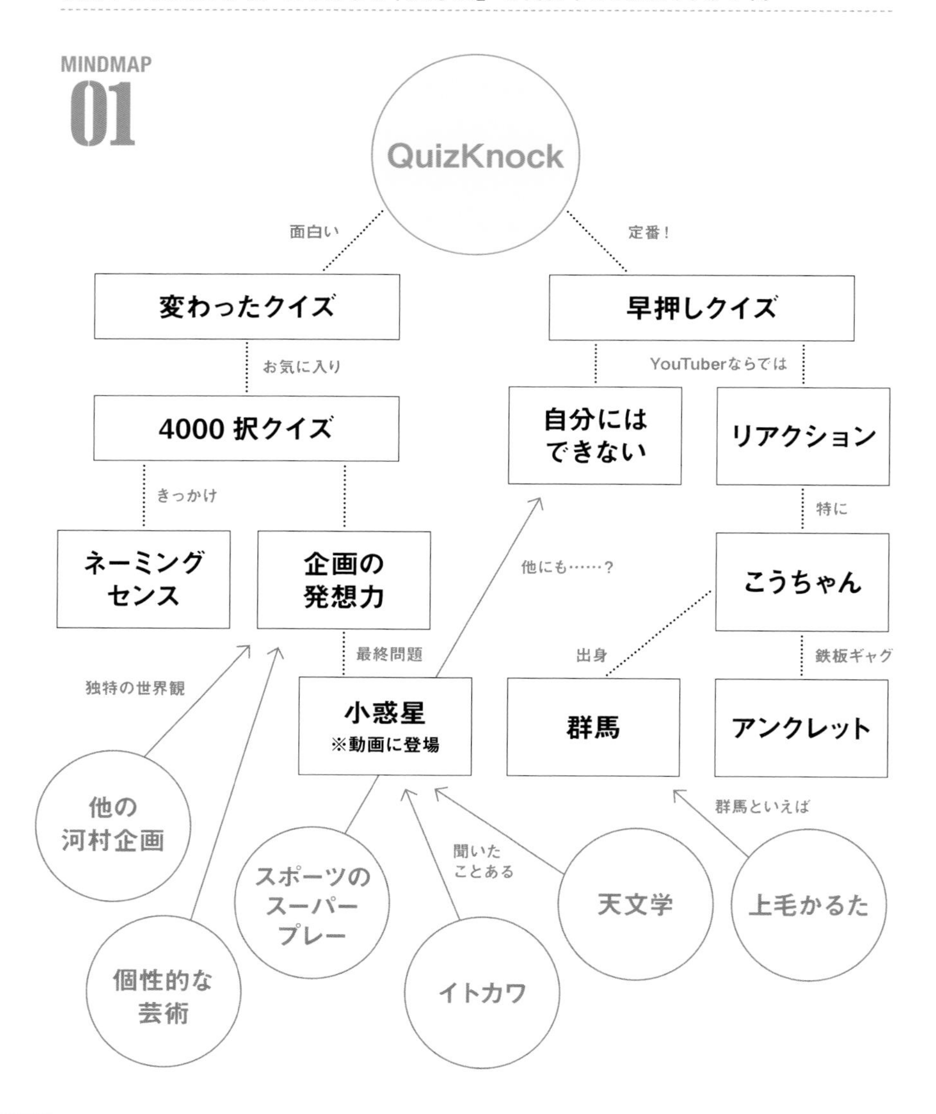

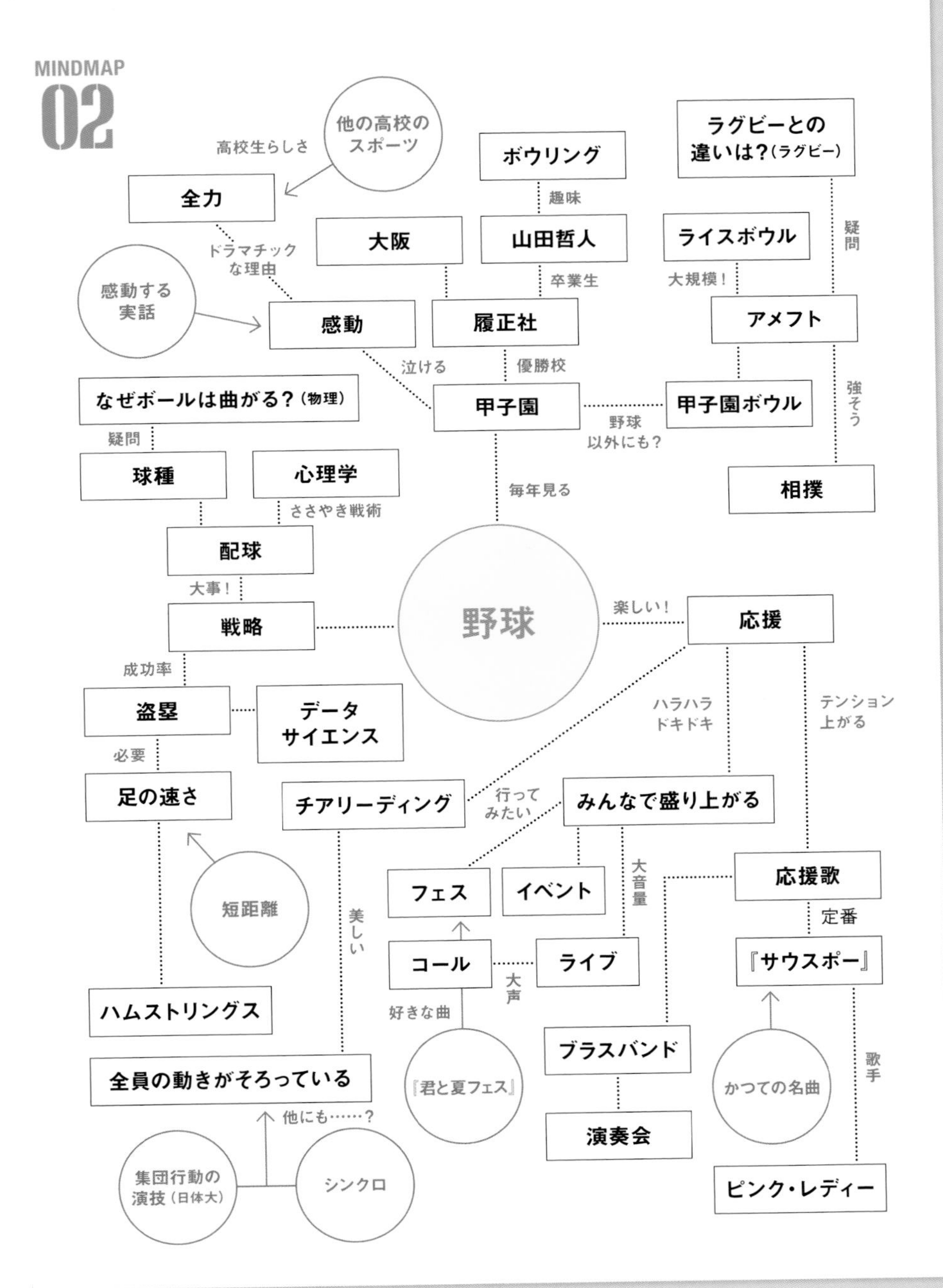
MINDMAP
02
野球
他の高校のスポーツ
高校生らしさ
全力
ドラマチックな理由
感動する実話
感動
泣ける
ボウリング
趣味
山田哲人
卒業生
大阪
履正社
優勝校
甲子園
毎年見る
ラグビーとの違いは？(ラグビー)
疑問
ライスボウル
大規模！
アメフト
強そう
相撲
甲子園ボウル
野球以外にも？
なぜボールは曲がる？(物理)
疑問
球種
心理学
ささやき戦術
配球
大事！
戦略
成功率
盗塁
データサイエンス
必要
足の速さ
短距離
ハムストリングス
楽しい！
応援
ハラハラドキドキ
テンション上がる
チアリーディング
行ってみたい
美しい
全員の動きがそろっている
他にも……？
集団行動の演技(日体大)
シンクロ
みんなで盛り上がる
フェス
イベント
大音量
コール
ライブ
大声
好きな曲
『君と夏フェス』
応援歌
定番
『サウスポー』
かつての名曲
歌手
ピンク・レディー
ブラスバンド
演奏会

6 自分の「好き」を知って、新しい「好き」に出会う

ポイント

- 好きなものをより深く理解できればたくさんの「好き」に出会える
- 「好きとの出会い方」がわかれば自分が楽しめる世界を自分で作り上げられる

もっとたくさんの「好き」を見つけるために

ここまで、勉強から離れて、ひたすら「好きなもの」「楽しいもの」をどうやったらもっと深められるか、広げられるか、という話をしてきました。簡単にまとめておきましょう。

- **まずは、生活をもっと楽しむための方法として「体験の質を上げる」という考え方があることを紹介しました。**
- **次に、「体験の質」を上げるためには、好きなものの好きなところを「言語化」することが大事だ、ということと、その手助けをしてくれるワークシートを紹介しました。**
- **そして、「言語化」された自分の「好き」を使って「連想ゲーム」をすることで、もっといろんな「好き」に出会えることと、その手助けをしてくれるマインドマップを紹介しました。**

こんなふうに、自分が好きなものへの理解を深めて、まだ出会ったことのない好きなものへのアンテナを伸ばしていくための方法をこの章で紹介してきました。ここで紹介したことをもう少し硬い言葉で表現してみると次のようになります。（自分の好きな）対象を分析して理解を深め、次にそれと関係のある

対象を探してまた理解を深めていく……。これはまさしく、しばしば「あの人は勉強が好きなんだね」と言われる人たちがやっていることです。**好きなものをより深く理解して、もっとたくさんの好きなものを探しに行く。**実はそれをやっているだけのことなんです。

もちろん、この方法を「学校の勉強」に応用するためには、少しひねりを加えなければいけません。そのためには、**自分の好きなものを分析する中で出てきたキーワードを使った連想ゲームを、うまく学校の勉強の範囲に向けていく必要があります。**でも、それができると学校の勉強を自分が楽しめるものに変えることができる。そうなったら、学校の勉強だからといって嫌がる必要はありませんよね。

とはいえ、この章で伝えたかったのは、まずはあなた自身の好きなもの、楽しいものを深めたり広げたりしてもらうための考え方です。これさえわかっていれば、**あなたは自分の力で自分の生活をもっと盛り上げて、もっと楽しいものに変えていくことができます。**そんなことを繰り返すうちに、もしかしたら誰かが「あなたは勉強が好きなの？」と言ってくるかもしれません。それが何よりの証拠です。あなたはもう**自分で、自分が楽しめる世界を作り上げることができるようになっています。**

Episode

ミニコラム

山本が好きだったもの

僕はゲームが、特にRPGが好きでした。キャラクターやモンスターの名前、『ドラゴンクエスト』だったら呪文の名前とかそういうのをひたすら覚えて、そういう単語だけを使って友達としりとりバトルをよくしてましたね。途中で「る」が全然出なくなったら次の日までに「る」をめちゃめちゃ調べてきてまた戦ったり。3日間にわたる大長期戦をやったこともあります。そういう繰り返しが、いまのQuizKnockでの活動につながっていると思います。

01 オグラサトシ

Profile 所属 東京大学経済学部金融学科4年
QuizKnock 担当 ライター、記事校閲
趣味 読書／好きな食べ物 ステーキ
尊敬している人物 アインシュタイン／感銘を受けた本 デカルト『方法序説』
行ってみたい場所 グリーンランド（オーローラが見てみたい）

「好きなもの」を大切にして広げていくと人生に活きてくる

このコラムを引き受けたとき、一番初めに思ったことは、「好きなもの」っていったい何なのだろう？ ということでした。やっていて楽しいものでしょうか？ そうすると、たとえば辛い練習など、やっていて楽しくないときには、それを好きではないことになります。いろいろ考えましたが、「好きなもの」とは**「それに惹きつけられる理由が、楽しいからとか役に立つからというよりも、好きだから、とするのが自分にとって一番しっくりくるもの」**というのが自分なりの結論です。他にも様々な考え方があると思いますが、私の中では結論が出たので、これからはそんな「好きなもの」の中で、振り返ってみて、たまたま勉強に役立ったものについて紹介してみたいと思います。

私が子供の頃好きだったもので、一番勉強の役に立ったのは「三国志」です。小学４年生のとき、たまたま父がやっていた『三国志DS』というシミュレーションゲームから興味を持ち、それから横山光輝のマンガ『三国志』にハマりました。『三国志』は蜀が滅んだところで幕をとじるのですが、呉や魏がそのあとどうなったのか知りたくて、学習マンガの「中国の歴史」を読み始めました。そこからさらに、「世界の歴史」や「日本の歴史」もマンガで読みました。どのマンガも毎日のように飽きもせず何度も読み返し、いまでも１コマ１コマを頭の中に思い浮かべられるほどです。

このとき学んだ歴史の知識が活かされたのは大学受験前に文転したときです。というのも、化学に興味があった私は現役のとき東大を理系で受けたのですが、数学や物理が全然できなかったため、箸にも棒にもかからない点数で落ちてしまいました。そのため、受験勉強する中で理系に限界を感じていたこともあり、思い切って文転することにしました。**高校で歴史をほとんど習わなかったにもかかわらず文転するという決断ができたのも、実際文転してみてほとんど苦労せずに世界史と日本史が得点源になったのも、小学生のとき好きだった「三国志」のおかげだと思っています。**

他にも勉強に役立った「好きなもの」はたくさんあります。日本中をすごろくで回っていくゲーム『桃太郎電鉄』は日本の地理や名産品を覚えるのに役立ちました。マンガ『名探偵コナン』は、トリックの中で使われていた様々な知識が知的好奇心を刺激してくれました。また、推理小説を読むきっかけになり、シャーロック・ホームズやアルセーヌ・ルパン、江戸川乱歩やアガサ・クリスティなどの小説をまだ幼いときにたくさん読んだことは読解力や論理的思考力を鍛える面で役に立ったと思っています。高校生のときに好きになったクイズも、勉強の役に立ちました。クイズで得た知識が直接役立ったこともありますが、どちらかというと、自分が知らないものを覚えることを好きになったことが勉強へのモチベーションを高めたという点で役に立ちました。

振り返ってみると、**自分は「好きなもの」にずいぶんと助けられてきました。大事なのは自分が（あるいは親が）、これは将来役に立つだろうと思ってやっていた（やらせていた）わけではないということです。**そして「三国志」が「世界の歴史」「日本の歴史」につながったように、あるいは『名探偵コナン』からアガサ・クリスティを読み始めたように、**「好きなもの」がその周りに広がっていったことも大事**だと思います。**「好きなもの」には多少の苦労をものともしないような力があります。**みなさんも自分の「好きなもの」を大切にして、自分の人生に活かしてみてください。

02 藤原

Profile 所属 東京大学理学部化学科３年
QuizKnock 担当 ライター
趣味 積ん読／好きな食べ物 かぼす
尊敬している人物 福井謙一さん／感銘を受けた本 ドーキンス『利己的な遺伝子』
行ってみたい場所 ブラックホール（実際にどうなるか見てみたい）

「勉強ゲームを楽しむ」から「学問」そのもののロマンや楽しさへ

私はそこそこ熱しやすいもののあまり興味が持続しない性格で、ひとつのことに深くのめり込むといった経験はあまりありませんでした。ただ、好むものには**「努力に対して相応の結果が得られ、自分がどれだけできるようになったかが目に見えてわかるもの」**という共通点がありました。中学生になり勉強が精神と生活の中心になってくると、勉強、できた方がいいなあという心情が生まれてきます。密に接するものはやはり楽しくできた方が、後々のためにも嬉しいですよね。そこで、意図的にかどうかはわかりませんが、勉強へのモチベーションを生むために、勉強そのものを「自分の好きなもの」に沿うよう捉えるようになりました。具体的に言うと、**勉強には「ゲーム性」があることに気づき、そこに着目**しました。

中高生の勉強には「テスト」がつきものです。このテストというものは、以前の自分からの伸びや、全国での自分の位置など、努力した成果が目に見えるものとして如実に表れます。このフィードバックの存在のおかげで、「問題を解けるように勉強する→テストでよりよい点が取れるようになる」という勉強のゲーム性が見出せます。「好きなものをより理解するために勉強をする」という本書の主な勉強へのモチベーションとは少し異なりますが、私はこの勉強の「ゲーム性」に取り憑(つ)かれ、ゲームのレベル上げをする感覚で勉強を好むようになりました。

努力が相応に報われる結果が得られているうちはこれでよかったのですが、高校の学習が進んでくると、なかなかそうもいかなくなってきます。「点を取る」以前に「理解する」ことに一苦労するようになりました。こうなると、もはや勉強のゲームとしての楽しさだけではモチベーションが続きません。少しばかり惰性で勉強していたところ、**あるものと出会い、「学問」そのもののロマンや楽しさに気づくこととなりました。**

それは**「NHKスペシャル『神の数式 完全版』」というテレビ番組**です。物理学には、「あらゆる自然現象は、最終的にひとつの数式で理解できるはずだ」という考えがあります。この番組はそれを「神の数式」と呼び、神の数式を構築しようとする100年来の物理学者の思考思索を、高校生でも理解できるレベルで解説するという内容でした。

「質量を生むヒッグス粒子」「自発的対称性の破れ」「一般相対性理論」「超弦理論」など、それまで何となくかっこいいけどよくわからないと感じていたものが、一連の理論的思考の流れとして頭に入ってくるのが楽しく、夜な夜な番組を繰り返し見ました。この経験によって、緻密な思考の積み重ねによって現象を理解し説明しようという科学の営みに大きなロマンを感じるようになり、科学全般、学問そのものへの興味が生まれました。それから興味は物理から化学へと移り、現在理学部で化学を専攻しようと考えるに至るわけですが、**「学問そのものの楽しみ」**を見出せたという点で、この番組との出会いは非常に大きなものであったと感じています。

また大本をたどれば、これは**「勉強のゲーム性」**に気づくというところからもつながっています。学問への興味を持続的に持てたのは、自分は学問に対してある程度の耐性があるはずだ、という勉強ゲームで培われた自信があってのことだったからです。

勉強をゲームとして楽しむというのはいわば手段の自己目的化であり、あまり褒められたものではないかもしれません。しかし結果として勉強に対する自信がつき、学問そのものを好きにもなれたので、勉強をゲームとして捉えたのはそんなに悪いことではなかったといまでは感じています。また、このゲームとしての勉強はそのままクイズへの興味にもつながっています。**「勉強はゲームでもあるなあ」**という小さな気づきが、大学で理学を専攻したり、競技クイズを始めてみたりなど、現在の自分の中で大きな部分を占めるものにつながっているというのはなかなかに感慨深いことです。

03 Jennifer

Profile
所属 青山学院大学地球社会共生学部地球社会共生学科2年
QuizKnock担当 ライター、英語関連の記事担当
趣味 音楽鑑賞、旅行／好きな食べ物 お刺身、ステーキ
尊敬している人物 緒方貞子さん／感銘を受けた本『マジック・ツリーハウス』シリーズ
行ってみたい場所 トルコ（イスラームとヨーロッパの文化が融合した街並みを歩いてみたい）

「興味のないもの」が好きに発展することも。すべての出会いを大切にして新たな発見を

「将来の夢なんて考えたこともなかった」「勉強してみたかった」

これは、タイの山岳少数民族の女性にインタビューしたときに聞いた言葉です。私はこの言葉に衝撃を受け、開発途上国に強い関心を持つことになります。しかし、正直初めから興味があったわけではありません。

高校１年生の春、学校のプログラムで募集していたアメリカか北欧の研修のどちらかに参加しようと考えていましたが、あまりにも競争率が高くて行けそうにない。海外に興味はあったものの先進国にばかり憧れていて、途上国は自分の中で「興味のないもの」に分類されていました。友人に誘われたことをきっかけに、軽い気持ちでタイでボランティアをするグループとして２年間活動することになりました。その年の夏休みに、タイ独自の文化を守り続けている山岳少数民族の村でボランティアとホームステイをしたのですが、そこにはいままで自分が知らなかった世界が広がっていました。水洗トイレがないのでトイレットペーパーが流せないという衝撃から始まり、ブタやニワトリが平気で道を歩いているし、お風呂はバケツで水を汲んで浴びるし、雷で村中が停電するし……。日本では考えられない数々の不便さと格闘し、泣きそうになりました。こんなところでやっていけるのだろうかと初めはタイに来たことを後悔したけれど数日もすると慣れてきて、村のよいところを見つけることができました。

とにかく笑顔が素敵でした。これ以上ないくらいの温かい笑顔で接してくれました。一斉に鳴くニワトリの声で起きたときの清々しい朝の空気、火を熾(おこ)して作ってくれた美味しすぎるご飯。停電のときに星空の下で歌を歌ったり、可

愛い子供たちに村を案内してもらったり……。どれも忘れられない思い出です。
どうしても「これには興味がないな」というものに出会ってしまうと無意識に遠ざけて、見て見ぬふりをしてしまいがちですが、その興味のないものには実は大きなチャンスが隠されています。もしかしたら、自分にとって「かけがえのないもの」に大変身を遂げることもあるかもしれません。遠ざけていたヤモリとも、最終的には一緒にお風呂に入れるようになるのです。
輝くような笑顔に出会い、毎日ワクワクが止まらない。「途上国＝幸せではなさそう」だと思っていた私にとって大きな衝撃でした。もちろん言葉にならないほど辛いこともあります。初めに書いた夢を描けない女性の言葉を聞いたときに、彼女たちの力になれないだろうかと考えるようになり、途上国の魅力に惹かれていきました。
このひとつの**「興味のないもの」が進路選択にも影響し、現在は大学で東南アジアを中心とした開発途上国について勉強し、タイの大学にも留学する予定です。**タイでの経験が、ここまで自分の人生に影響を与えるとは全く思っていませんでした。不思議な出会いです。
ところで、さっきから「興味のないもの」という言葉を頻繁(ひんぱん)に使っていますが、たくさんのものの中から「興味のないもの」を見つけることは簡単ではありません。好きになるには、きっかけが必要不可欠だと思います。私は興味のあるなしを簡単に判別できないため、次の３つのことを心がけています。
① **すべての出会い**を大切にする。
② **何にでも挑戦**してみる。
③ 物事の**いいところ**をたくさん見つける。
この３つを意識してから、確かに自分の好きなものの幅が広がりました。つい日常生活で忘れてしまいそうになりますが、その都度思い出して行動に移すと心機一転することができます。オススメの方法です。
QuizKnockも興味のないものを見つけるひとつの場になっています。様々なバックグラウンドを持っているライターの記事は、いつも新しい発見が潜んでいます。**好きなものを究めることはもちろん大切ですが、「興味のないもの」にも目を向けてみると、タイに興味を持った私のように新たな発見があるかもしれません。**そして、みなさんが日常生活に潜む「興味のないもの」にたくさん出会えるよう、QuizKnockの記事を通してお手伝いできたらと思っています。

04 コジマ

Profile
所属 京都大学大学院情報学研究科知能情報学専攻
（2020年修士課程卒）
QuizKnock担当 ライター
趣味 音楽鑑賞、野球観戦／好きな食べ物 カレー
尊敬している人物 両親／感銘を受けた本 情けないんですが、ないです……
行ってみたい場所 北広島の新球場（いますごく気になっているので）
@KojimaQK

「遊び」には学びがたくさん詰まっている。「科学本」と「プログラミング」で人生が大きく変化

僕の小中学生時代の過ごし方というと、ゲームをして、アニメを見て、週1で習い事（水泳、英会話）に行って、本（マンガを含む）を読む……というような感じ。この頃から完全にインドアな人間でした。

趣味嗜好もさほど一貫していたわけではないのですが、**人生が変わるレベルでハマったと言えるのは『空想科学読本』と「プログラミング」**でしょうか。それぞれについて書いていこうと思います。

『空想科学読本』は、マンガや特撮の設定を科学的に検証していく、柳田理科雄先生の書籍シリーズ。この本との出会いは中学校の図書館でした。たまたま置いてあるのを見つけて読み始めたら本当に面白くて、ゲラゲラ笑いながら読んでいた記憶があります。面白いだけではなく、科学的な思考がアニメや特撮を通じて学べるんです。たとえば比例関係。ゴジラやウルトラマンの体積を求めるために、「体積は身長の３乗に比例する」という法則を使って、フィギュアを水に沈めて量った体積から推定していきます。この「体積は身長の３乗に比例する」というの、中学生のときは「本当に？」「どんなかたちでも？」という感じで受け入れられなかったのですが、積分で体積を計算する方法を習った高校時代になってすべてがつながりました。あらゆる空想上のシーンを、持っている知識を総動員して「科学で解ける問題」に落とし込んでいく過程を読むと、面白い上にとてもためになります。

有り難いことに、QuizKnockではアニメやゲームを考察する記事をいくつか書かせていただいていますが、かなり『空想科学読本』に影響された感じになっています。一応、自分なりのエッセンスも加えるようにはしていて、それは「計算過程を大学入試のつもりで書く」ということ。フィクションを「解ける」問題に簡略化するための知識の使い方が受験勉強にも応用できるなというのは、自分が『空想科学読本』を読み、かつ受験勉強に取り組んだ中での発見だったので、いま受験を見据えて勉強している中高生にも活かしてもらえたら嬉しいです。

僕の記事もいいですけど、やはり『空想科学読本』を読んでください！ シリーズ初期のものはやっぱり昔の作品を題材にした章が多いですが、最近はいまの子供たちにも馴染みの深い作品もかなり扱ってくださっているので、きっと楽しめると思います……宣伝が入ってしまいましたが、要は**「遊びには学びがたくさん詰まっている」**ということです。

一方の「プログラミング」についてですが、こちらも出会いは中学生のときでした。ニコニコ動画で「BASICという言語でプログラミングを始めてみよう」という趣旨の動画があって、それを見てやってみたのがきっかけです。毎日テレビゲームで遊んでいた自分としては、「これを究めればゲームが作れるんだ」と新しい世界への扉を開いたような気持ちでした。そのままゲーム作りも始めてはみましたが、そちらは難しくて何も完成することはなく……。高校に入ってからは競技クイズを始めたので、いったんプログラミングからは離れました。

ただ、大学では情報系に進みたいという気持ちは持ち続けていて、高校のカリキュラムで小論文を書く際は人工知能をテーマに選びました（ちなみに人工知能にしたのはクイズがきっかけで、その頃アメリカのクイズ番組で人工知能が人間に勝ったという話題を聞いたからでした）。いまやすっかり浸透したディープラーニングの基礎の基礎である「ニューラルネットワーク」という概念にものすごく影響を受けた記憶があります（その議論が数十年前には下火になっていることに気づくのは大学に入ってからでしたが）。

結局、大学受験も無難にこなして情報系の学科に進み、エンジニアを職業にしようとしています。**振り返ってみればニコニコの１本の動画が人生を決めてしまった**わけで、何がきっかけになるかわからないものですね。

あなたが大切だと感じたところを抜き出して書いてみましょう。あなただけの本にしてみてね！

PART 02

気の進まない勉強は「できると楽しい」から始めよう

第２章は、勉強を頑張らなくてはならないのに「学校の授業が楽しくない」「成績がイマイチ」……と悩んでいる人に読んでいただきたい章です。他人や学校の進み具合と比べるのではなく、自分がやりたいことをしっかりと自分のペースでこなしていく力を養うことが最も大切です。そのためのエッセンスを盛り込みましたので、ぜひとも実践してみてください。

みかこ(高校3年生)は
文武両道で才色兼備！
先生、親、友人たちにも
褒められる優等生

将来 医者になりたくて
猛勉強中だが
全国模試を受けると
いつもE判定
全国模試
E判定

特に数学の成績が
伸び悩んでいて……
受験のストレスも重なり
何だか疲れ気味

高校２年生までは
勉強でつまずく
ことなんて
なかったのに
コンコン…
ハイ…

はじめまして
みかこさん
QuizKnockの
須貝さん?!
大ファンなんです!!
ボクもいるヨ!

成績が
伸び悩んでいると
聞いたけど
大丈夫？
そうなんです
高校1・2年生の
テストではいつも80点
以上は取れていて
クイズを解く感覚で
楽しかったん
ですが

それが3年生になって
急に勉強が
難しくなって……
特に数学の点数が
取れないんです
45点
40点
30点
35点
無理に学校や予備校の
カリキュラムに合わせなくていいんだ
まずは「できる感覚」を
取り戻してみようよ

「できる感覚」を
取り戻すには
どうしたら
いいのかしら？
高校1・2年生の
数学の問題から
解き直してみたら
どうかな？
「できる感覚」を
取り戻すとともに
どこの段階で
つまずいたかを
見極めることが
できるよ！
数I
数II

もしかして
「がむしゃら」に勉強を
していないかな？
「因数分解」は
得意だからやり直す
必要はないよ
う〜ん…
まず みかこさんは
自分がどこまで
できているかを
把握した上で
戦略を練ることが
重要だね

なるほど！
毎日学校や予備校の
課題をひたすらこなすだけで
自分がどこでつまずいたか
分析できて
いなかったかも

みかこさん
にはこれを
授けよう
アレを
出して…
了解！

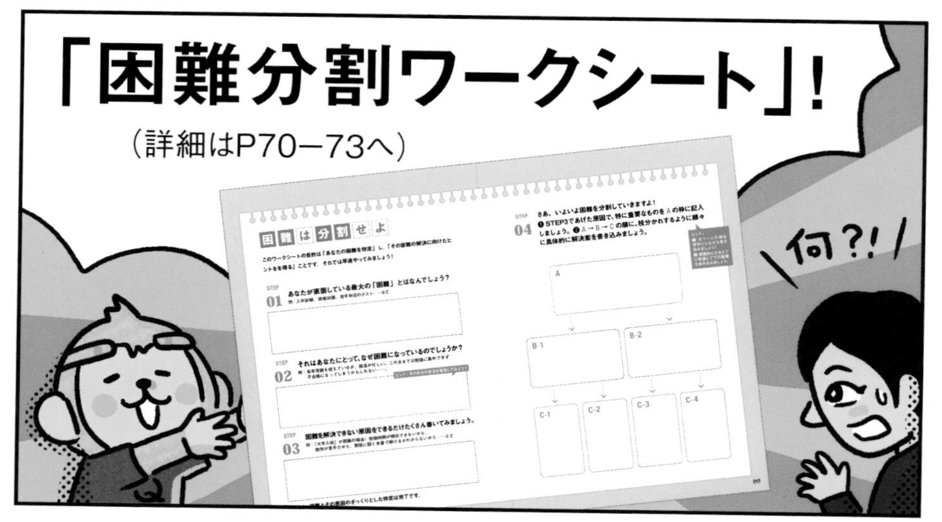

「困難分割ワークシート」！
（詳細はP70−73へ）
困難は分割せよ
STEP 01 あなたが直面している最大の「困難」とはなんでしょう？
STEP 02 それはあなたにとって、なぜ困難になっているのでしょうか？
STEP 03 困難を解決できない原因をできるだけたくさん書いてみましょう。
STEP 04 さあ、いよいよ困難を分割していきますよ！
A
B-1
B-2
C-1
C-2
C-3
C-4
何？！

そうだよ！ 困難は
分割して レベルアップ
するための戦略を練って
取り組むんだ！
ロールプレイング
ゲームに
出てくるマップ
みたい！
?
自分を上から
見るなんて
考えたこと
なかったです
上から見ル！
ゲームのように
その戦略が
うまくいくかどうかを
“自分を上から見て”
楽しめばいい

ほら、ゲームで
レベルアップすると
嬉しいよネ
それと一緒
だヨ！
LEVEL UP!
自分が取り組んで
いることを
俯瞰してみることが
大切なんだネ

数学でつまずいていた箇所を
分析して 克服するための
戦略を練ってみます
ありがとうございます
メモメモ…

「困難分割ワークシート」で
自分の困難を小さな課題に
分けてひとつずつ
こなしていこう！

もしうまくいかなくても
別の戦略で
レベルアップを
図ればいい
ゲーム化すると
苦手な数学も
楽しめるかも！
さらにレベルアップを
目指すための秘訣は
モチベーションを
自分で保つことだね
それが最近
医学部受験の
プレッシャーで
疲れ気味で……

みかこさん
ぜひ「薄いノート」を
使ってみることを
オススメするよ
えっ！ 何で？
すぐになくなっちゃい
ませんか？
パラ
パラ
ノート
ノート

使い終わったノートを
机の端に積み上げていくと
どれだけ勉強したかが
見えて「達成感」を
感じられないかい？
この「達成感」を
可視化することが
やる気のコントロールに
つながるんだよ
（詳しくは、P76−79を
読んでね！）
達成感!!
おおっ!!

なるほど！「達成感」を
可視化するための
工夫を他でも
やってみます
ノート

1 勉強が楽しくないのはどうしてだろう？

ポイント

☑「勉強そのものが楽しくなるための工夫」について考えてみよう
☑勉強の内容に興味がなくても、勉強は楽しむことができる

「勉強そのものが楽しくなるための工夫」とは？

第１章では、「あなたが好きなもの」をもっと楽しむための工夫をお伝えしてきました。もっと楽しもう、もっと充実させようとするときに、意識せずとも勉強と同じような方法を使っている。そういう人たちが、「勉強が好きな人」の正体だったというわけです。つまり、そういう人たちは**勉強することによって「体験の質を上げる」ことや、勉強することによって「好きなものが増える」ことを楽しんでいる**わけです。

第２章では、勉強によって得られるものに興味がなくても「勉強することそのものを楽しめる人」がどういうことをやっているのかをお伝えしようと思います。「勉強が楽しいなんて、そんな人本当にいるの!?」と疑問に思うかもしれません。でも、受験のための勉強をこなすのがうまい人たちの中には、そういう人がたくさんいます。とはいえ、そんな人たちも、「とにかく受験勉強が楽しい！」と思っているわけではありません。彼らは、**「勉強そのものが楽しくなるような工夫」**をしています。第１章でもお伝えしたように、**「もっと楽しもうとすること」は「究めること」につながっている**んです。

というわけで、ここからは「勉強そのものが楽しくなるような工夫」について考えてみたいと思います。いちど勉強から離

れて、ものすごく単純な体験から考えてみましょう。どんなことでも、チャレンジして実際にできると気持ちいいですよね。大きな溝をジャンプで跳び越えたり、ゴミ箱に投げたティッシュがうまく入ったり、そんなささいなことも、私たちは楽しむことができます。なのに、ものすごくたくさんの人が、学校の勉強や受験勉強をうまく楽しむことができずにいます。「世界の歴史に興味のない人が世界史の勉強を楽しめるはずはないだろう」という意見もあると思います。ですが、**勉強する内容だけが勉強の楽しさを左右する要因ではない**んです。

たとえば、クイズ番組を例に考えてみましょう。勉強に対してネガティブなイメージを持つ人が多いのとは反対に、日本ではクイズ番組がとても愛されています。もっと言えば、日本史の勉強が嫌いな人でも、日本史の問題が出るクイズ番組をふつうに楽しんでいる。そんな不思議な現象が起きていたりするんです。つまり、**クイズ番組は、内容に興味がなくてもそれを楽しめるような形式を持っているんです**。その秘密をもう少し考えてみましょう。

Episode

ミニコラム

漢字の書き取りは嫌いだった（山本）

いまでこそ、漢字の勉強をすごく楽しんでいますが、僕も昔は漢字の書き取りが嫌いでした。覚えたかどうかに関係なく、ノルマとして書き取りをやらされるのがどうしても苦手だった。だから書き取りのときは、書き取りとは関係ないことをいつも考えてて、一種のゲームみたいに捉えてました。漢字の書き取りでよく例文と一緒に書いたりするじゃないですか。だから、次に出てくる例文がどれくらいの長さかを予想したりしていました。長いのを見つけられたらラッキー、みたいな。それ以外にも、同じ漢字を使ったもっと長い例文を自分で考えたりしていました。

2 クイズ番組はどうして楽しいの？

ポイント

- 「できた！」というポジティブな体験を増やそう
- 興味のない勉強は、成功体験が増えるようにデザインしてみよう

「できた！」という感覚が体験の楽しさにつながっている

学校の勉強で日本史をやっても楽しくない人が、クイズ番組で日本史の問題が出題されると楽しめてしまうのはどうしてなんでしょうか。それを考えるヒントは、さきほど例に挙げたささいな体験の中にあると思います。溝を跳び越える例でも、ゴミ箱にティッシュを投げ入れる例でも、**「うまくできた！」という感覚、つまり成功することが重要**でした。友達と競っているときなら失敗しても盛り上がるかもしれませんが、ひとりでやっていると失敗したときはただ「ちぇっ」となるだけですよね。つまり、**「できた！」という感覚がその体験の楽しさにつながっている**わけです。

それでは、学校の勉強やクイズ番組はどうでしょうか？ どちらも、もちろん「できた！」という体験をもたらしてくれます。テストで高い点を取ったり、芸能人がわからなかった問題を自分がわかったりすると「できた！」という感覚を得ることができます。ただ、この２つにはとっても大きな違いがあります。クイズ番組が「できた！」という感覚を視聴者になるべく多く与えること（＝視聴者を楽しませること）を目的として作られているのに対して、学校の勉強はカリキュラム通りに進めることが求められているので、すべての学生に「できた！」と

いう感覚を与えるところまでは至らないケースも少なくないということです。

学校の勉強は、カリキュラムで決められた内容を決められた期間の中で学生に教えなければなりませんから、学生が「できた！」と思う前に次の内容に進んでしまうこともあります。**そうすると、「できた！」という体験よりも「できない！」というネガティブな体験の方がどんどん多くなっていくことになります**。つまり、勉強を楽しむことがどんどん難しくなってしまうんですね。

それに比べて、クイズ番組の多くは視聴者にとっての**「できた！」と「できない！」のバランスをとてもうまく調整して問題を出しています。**もちろん、それができるのは学校のカリキュラムのような縛りがないからです。だから、家族をターゲットにしたクイズ番組では親だけがわかるような問題と子供だけがわかるような問題をばらつかせたりして、なるべく見ている人の多くがたくさんの「できた！」という体験を得られるようにしています。少し前に、クイズが苦手なタレントを前面に押し出したクイズ番組がものすごく流行りましたが、あれも視聴者にたくさんの「(芸能人よりも) できた！」という体験をしてもらうための仕掛けだったのだと思います。

こんなふうに、内容が同じでも、学校の勉強が楽しめないのにクイズ番組が楽しめてしまうという謎は、「できた！」体験と「できない！」体験のバランスを考えることで解くことができます。ここまできたら、勉強の「体験の質」(第１章で出てくる言葉です) を特定したも同然ですね。**興味のないものの勉強を楽しむためには「できた！」体験を増やすように勉強をデザインすればいいんです。**そのやり方を次のページから考えてみましょう。

3 勉強のやり方をデザインする

ポイント

☑「できた！」体験で適度な達成感を得ることが大切
☑ゲームの「楽しませるデザイン」を勉強に応用してみよう

「やらなければならない勉強」をゲーム化してみよう

QuizKnockのメンバーには、よく勉強に関する質問が寄せられます。「どんな教材をやったか」「１日何時間勉強したか」といった定番の質問から、「どこで勉強していたか」とか「息抜きに何をしていたか」といったものまで、様々な質問があります。それでも、**「勉強をどうやって楽しんだか」という質問が出ることはほとんどありません。**ところが、実は学校のテスト勉強や受験勉強が得意な人は、この「勉強をどう楽しむか」というところで他の人よりも工夫をしています。第１章でもお伝えしたように、楽しもうとすることは、究めるためのひとつの近道だからです。**勉強が得意な人たちが勉強を楽しむためにやっている工夫が、「勉強のやり方をデザインする」ということ**です。

では、具体的にはどうデザインすればいいんでしょうか。よく「自分に合った勉強法を見つけよう」と言われたりするように、「これが誰にとっても正解！」と言えるような方法はないかもしれません。それでも、勉強のやり方を考えるときの方針を挙げてみることはできます。**その候補のひとつとしてオススメしたいのが、「できた！」体験のデザイン**です。

「できた！」体験は気持ちいいものですし、次の課題へと進む自信やモチベーションになります。それに対して、連続して「できない！」体験をすると、気分は落ち込みますし、自信やモチベーションも低下していきます。とはいっても、「できなかったものをできるようにする」ために勉強しているのだから、「できない！」体験をゼロにすることはできません。なので、**勉強を楽しむためには、適度に「できた！」体験をして、そこでしっかりと達成感を味わえるようなデザインにすればいい**だろう、ということになります。

このとき参考になるのが、テレビゲームです。いいゲームは、プレイヤーを楽しませるためのデザインがとても優れています。だから、勉強そっちのけでゲームに熱中してしまうことがあっても、ある意味では仕方がないのです。とはいえ、勉強が人生の中で最も重要になる場面に多くの人が遭遇することになるのもまた事実です。ですから、ここではむしろ**ゲームの中にある「楽しませるデザイン」を勉強の中にもうまく持ち込めないか？**ということを考えてみるといいかもしれません。

ゲームのいいところをどうにか勉強に持ち込めないか？　ということで今回QuizKnockで制作したのが、次のページから掲載されている**「困難分割ワークシート」**です。「全然ゲームじゃないじゃん！」と思うかもしれませんが、これはみなさんが**「自分がやらなきゃいけない勉強」をゲーム化するためのシート**になっています。「いったいどういうこと？」と思う人は、シートを眺めつつ、P73の「困難分割ワークシート活用のコツ」も読んでみてください。

ここで伝えたいもうひとつのメッセージは、**「できない」ときにがむしゃらになってはいけない、ということです。「できない」ときにはいちど立ち止まって、その困難を小さなものに分割してみましょう。**そうすると、いまのあなたに「できる」ものが見つかるはずです。

困難は分割せよ

このシートの目的は「あなたの困難を特定」し、「その困難の解決に向けたヒントを得る」ことです。コピーして書き込んでみましょう。

STEP 01 あなたが直面している最大の「困難」とは何でしょう？

例：入学試験、資格試験、苦手科目のテスト……など

STEP 02 それはあなたにとって、なぜ困難になっているのでしょうか？

例：来年受験を控えているが、部活が忙しい。このままでは勉強に集中できず不合格になってしまうかもしれない。……など

ヒント：いまの自分の状況を整理してみよう！

STEP 03 困難を解決できない原因をできるだけたくさん書いてみましょう。

例：C「大学入試」が困難の場合）勉強時間が確保できないから、数学が苦手だから、緊張に弱く本番で力を発揮できないかもしれないから……など

以上で、困難とその原因のざっくりとした特定は完了です。

郵 便 は が き

おそれいりますが切手をお貼り下さい

1 0 4 - 8 0 1 1

朝日新聞出版　生活・文化編集部

ジュニア部門 係

お名前		ペンネーム	※本名でも可		
ご住所	〒				
Eメール					
性別	男 ・ 女	学年	年	年齢	才
好きな本					

※ご提供いただいた情報は、個人情報を含まない統計的な資料の作成等に使用いたします。その他の利用について詳しくは、当社ホームページ https://publications.asahi.com/company/privacy/ をご覧下さい。

☆本の感想、似顔絵など、好きなことを書いてね！

ご感想を広告、書籍のPRに使用させていただいてもよろしいでしょうか？

1．実名で可　　2．匿名で可　　3．不可

STEP 04

さあ、いよいよ困難を分割していきますよ！
❶ STEP03で挙げた原因で、特に重要なものをAの枠に記入しましょう。❷ A→B→Cの順に、枝分かれするように順々に具体的に解決案を書き込みましょう。

ヒント：
❶ 次ページの例を参考にしながら書き込みましょう！
❷ 網羅的になるように意識して下の階層を書き込みましょう。

A

B-1

B-2

C-1

C-2

C-3

C-4

困難は分割せよ

具体例

STEP 01 あなたが直面している最大の「困難」とは何でしょう？
大学入試

STEP 02 それはあなたにとって、なぜ困難になっているのでしょうか？
部活が忙しくて勉強できず、不合格になるかもしれない。

STEP 03 困難を解決できない原因をできるだけたくさん書いてみましょう。
勉強時間の確保、数学が苦手、国語の点数がブレる、本番に弱い

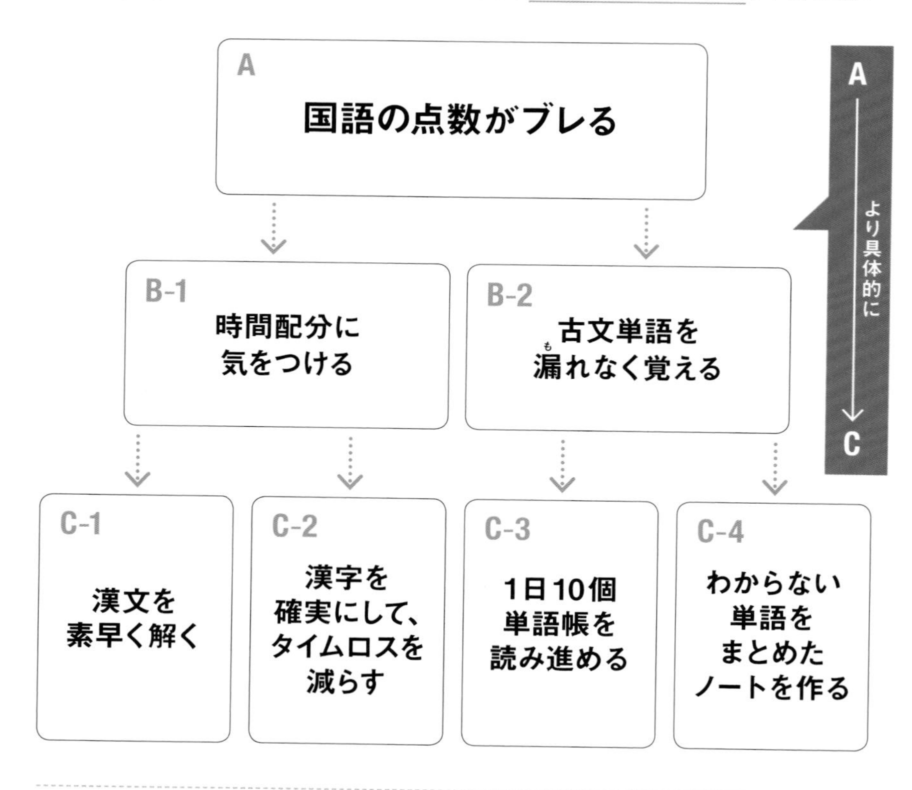

・Cをさらに派生させてもよい　・A、Bを念頭に置いてCを実践！
・前ページに戻って、自分のロジックツリーを作ってみよう！

お疲れ様でした。ここまでのワークで「取りかかりやすい」解決案をいくつも考えることができたのではないでしょうか？ まさに、「困難の分割」。最初は大きく見えていた「困難」も実は身近で地道な取り組みの積み重ねで克服できるのではないでしょうか？ ここまできたらあとはできそうなものから順番に実践していくだけです！ また、他の「困難」についても同じシートを使って分割してみてくださいね！

ⓉⒾⓅⓈ 困難分割ワークシート活用のコツ

「**困難はなるべく細かい部分に分割せよ**」。有名な哲学者デカルトはこんな意味の言葉を残しています。デカルトはテレビゲームをやったことはないと思いますが、これはいいゲームの特徴も言い当てています。ストレスなく楽しめるゲームは、とても難しい最終目標（たとえば、「魔王を倒す」）にたどり着くまでに、**あなたが「ちょっと頑張ればできる」くらいの課題を細かく設定してくれています**。また、ゲーム世界の地図を見ると、魔王の城に行くまでにあといくつくらいの街を回らなきゃいけないのかがわかるようになっていて、**自分が最終目標まであとどれくらい頑張ればいいのかをそれとなく教えてくれます**。このようにして、「**最終目標」を見失うことなく適度に「できた！」体験をさせてくれる。それがいいゲームです。**

もっと言えば、ゲームは困難を分割してくれる上に、その都度プレイヤーを盛り上げてくれます。何か課題をクリアするたびにファンファーレが鳴ったり、アイテムをくれたりと、**「できた！」体験を盛り上げるためにいろんな工夫をしてくれます**よね。

こうしたゲームのデザインからインスピレーションを得て作ったのがこのシートです。あなたの「最終目標」と冒険の「出発点」を決めたあとで、どう冒険するかを考える手助けをしてくれます。課題はなるべく細かく設定して、「できた！」体験をたくさんできるようにしましょう。**目標が大きい場合は、シートを何枚も組み合わせて、自分が「ちょっと頑張ればできる」くらいの課題が見えてくるまで分割してみてください**。勉強以外にも、何にでも使えるのもいいところです。

4 「がむしゃらにやる」よりも「メタな視点を持つ」こと

ポイント

☑「できた！」という体験をバランスよく配置して実感を得よう
☑自分の目標までの道のりを小さな課題に分解して積み上げてみよう

自分のやりたいことを自分のペースでこなしていくために

ここまで書いてきたことを一言でまとめるなら、**「メタな視点（一歩引いた視点）を持って頑張り方を工夫しよう」**ということになります。がむしゃらに頑張ることのできる体力や集中力はとても大事です。ですが、がむしゃらに頑張るだけでは「できた！」という体験が不足して、勉強を楽しみながら続けていくことが難しくなってしまいます。がむしゃらに頑張るだけでは楽しめないものを楽しく進めるために必要なのが、**「メタな視点から勉強を楽しくデザインする」**ということです。「楽しくデザインする」とはどういうことかと言えば、「できた！」という体験をバランスよく配置することです。

では、「できた！」という体験を繰り返しながら前に進んでいくにはどうしたらいいのでしょうか。そのためには、**自分の目標までの道のりを小さな課題に分解して、少し頑張ればできそうなことをたくさん積み上げていったさきに最終目標があることをしっかりと「メタな視点から」見据えることが大事**です。ただ、いきなりメタな視点に立って自分の課題を考えることは難しいので、メタな視点に立つための補助ツールとして**「困難分割ワークシート」**を紹介しました。これを使って、自分がいま向き合っている課題を、より小さな課題に分解してみましょう。大事なのは、そこで分解した小さな課題を達成するたびに、しっかりと「できた！」という実感を得ることです。**どんなに小さなことでも、達成した自分をしっかりと認めて、褒めるこ**と。これが、楽しみながら勉強を進めていくためのコツです。

もうひとつ、重要なポイントがあります。それは、**「他人や学校の進み具合と比べすぎないこと」**です。もちろん、友達と競い合って勉強することでやる気が出る場合もあります。ただ、それがあなたにとってマイナスだと思ったら、他人と比べることなんてやめてしまいましょう。同じことですが、「友達や学校の授業よりも自分が遅れている」ということをあまり気にしないようにしましょう。**「他人よりもできること」よりも、「自分ができていなかったことをしっかりできるようにすること」の方がずっと大事です。**それに、他人よりも遅れていることが過剰に気になるのは、みんなが同じ内容を勉強する高校生までです。大学に入ったり、社会に出たりすると、みんながそれぞれバラバラの課題に取り組むことになります。そのときに**本当に大事なのは、自分がやりたいことをしっかりと自分のペースでこなしていく力**です。

ですから、たとえ周りから遅れていても、無理に合わせようとするのではなく、自分が「できた！」という体験をしっかり味わいながら確実に前へ進んでいくことのできる勉強法にシフトさせましょう。ときには、ひとつふたつ前の学年の内容から勉強をやり直した方がいい場合もあります。遅れることは悪いことではありません。むしろ、周りのやり方が自分に合っていないことを教えてくれるきっかけになります。**自分の目標に、自分のやり方で向き合っていけるようになれたら、それだけでとても幸せなこと**だと思います。

5 頑張った成果を可視化しよう

ポイント

- 「自分がどこまでできたか」をしっかり認識して自信に変えよう
- 数値やデータだけでなく、厚みのあるモノで成果を見える化しよう

解いた問題の数を心の糧に

さて、ここまで「メタな視点に立って勉強をデザインする」ための方法を考えてきました。とはいえ、それでも勉強を継続することは難しいですよね。楽しいからと言って、それを毎日続けられるとは限りません。やってみたら楽しいことでも、実際にやる気になるまでが大変だ、ということもたくさんあります。

そこで、この章の最後ではやる気を持続させるための工夫についても少し考えてみることにしましょう。とはいっても、これまでこの本で取ってきた方針は変わりません。つまり、**続けることそれ自体が楽しくなるような方法を考える**んです。

勉強の成果とは何でしょうか。学校の勉強であれば、テストでいい点を取ること。受験であれば、入試に合格すること。大学生であれば、しっかりとしたレポートや論文が書き上がること。これらはみんなとても大きな目標です。見事に達成したときの「できた！」という感覚はそれだけ大きいですが、そこにたどり着くまでがとても長いのです。そして、この章でずっと書いてきたのは、大きな目標にたどり着くまでに通過するはずの、小さな課題の達成をしっかりと意識して、自分の自信につなげていこう、ということでした。

ところが、テストの点や入試の合格通知とは違って、小さな

勉強の成果はあまりはっきりと目に見えるかたちでは残りません。しっかりと細かい課題を達成してきたのに、大きな目標が達成できなかった結果、「自分は何の成果も得られなかった」と落ち込んでしまうこともよくあります。

でも、大きな目標が達成できなかったからと言って何もかもが無駄だったなんて思う必要はありません。最終目標が達成できなかったとしても「自分はこれだけ頑張った」とか、「ここまでは達成できた」という意識を持つことができれば、あなたの頑張りは必ず次の取り組みにつながります。この章を通じて**「困難を分割すること」**を強調してきたのは、こんなふうに、**最終目標が達成できなかったとしても「あなたがどこまでできたか」をしっかり認識して自信に変えてもらうため**でもあるのです。

次の取り組みへとつなげていくためには、**「自分がどこまでできたか」をしっかりと意識して、それを自信に変えていくことが大事**です。そこで、「どこまでできたか」「どれだけやったか」をしっかりと意識できるように、その細かい成果を目に見えるかたちで残すことを、勉強を継続するためのテクニックとして提案します。

成果を目に見えるかたちにする。すなわち可視化する方法はどんなものでも構いません。ただ、**なるべく数値やデータだけでなく、物理的な厚みのあるモノを使うことをオススメ**します。そうすれば、自分がスランプに陥って成績がなかなか伸びないときでも、自分はしっかりと継続して頑張っている、という実感を得やすいからです。テストの点数が伸びないときこそ、問題を解いたノートの数を自分の心の糧にしていかなければ、なかなか勉強は継続できません。次ページではいくつか具体例を挙げてみましょう。

6 「モノ」を積み上げた高さを自信に変えていこう

ポイント

- 自分の道のりがわかるように、使い終わった文具や教科書は捨てないで積んでおこう
- 「困難分割ワークシート」を色で塗りつぶしてモチベーションを次につなげよう

「ゲーム化」や「可視化」によって目標達成するプロセスを楽しもう

① 薄いノートを使おう

P58からのマンガの中では、**「薄いノートを使う」**という方法を挙げています。なぜなら、薄いノートの方が、すぐにページがなくなってしまうからです。薄いノートを使って、さらに**問題を解くときには、スペースを大きく使いましょう。**これは、スペースを大きく使った方がいろんなメモを残せるので情報の整理がしやすくなる、ということもありますが、薄いノートの消費を加速させる効果もあります。そうやって、**使い終わった薄いノートは自分の机の邪魔にならないところにどんどん積み上げていきましょう。**ちゃんと自分から見えるところに積んでおくのがコツです。５冊、10冊……と積み上がっていけば、その高さは確実に自分の自信につながります。

② 解き終わった問題集や使い終わった教科書は捨てない

こちらも、ノートと同じです。自分が通ってきた道のりが自信に変わるように、**前の学年で使っていた教科書であっても積み上げていくことをオススメ**します。高校３年間で使う教科書

だけでも、全部積み上げると結構な高さになりますよ。少なくともそれだけの範囲を勉強してきたんです。それを自信に変えない手はありません。また、自分が遅れを感じてしまったときに、古い内容を復習してペースを取り戻すためにも使えます。

③ 使い終わったボールペンも捨てない

シャープペンシルの替芯ケースでも、ボールペンでも構いません。**自分の机に使い終わった文房具を積み上げる祠(ほこら)を作ってあげましょう。**自分がどれだけ書いてきたのか、どれだけ頑張ってきたのか、自信がなくなってきたときには積み上がった文房具を見て思い出しましょう。

④「困難分割ワークシート」を部屋に貼って、色を塗ろう

これは積み上がっていくものではありませんが、自分がどれだけやったかをわかりやすく意識するのに有効です。**自分が設定した最終目標までの細かい課題を書き出したら、それらを達成するたびに塗りつぶしていきましょう。**最終目標が達成できていない段階でも、自分が目標までどれくらい近づいたのか、あとどれくらい頑張ればそこにたどり着けるのかがわかると、次の取り組みへのモチベーションにつながっていきます。

こんなふうに、やり方は様々です。自分にとって一番やる気の出る方法が何かを考えてみるのも楽しいですよ。こうして、**「ゲーム化」や「可視化」を突き詰めていって、自分の目標を達成するまでのプロセスを、楽しみながら進んでいけるようになれば、きっとこれまでよりももっとたくさんのことにチャレンジできるようになる**はずです。

01 乾

Profile
所属 東京大学経済学部経営学科3年
QuizKnock 担当 ライター、記事全般を担当
趣味 ラーメン店巡り／好きな食べ物 ラーメン
尊敬している人物 こうちゃん／感銘を受けた本 山田詠美『ぼくは勉強ができない』
行ってみたい場所 パリ（世界遺産とディズニーランドに行ってみたい）

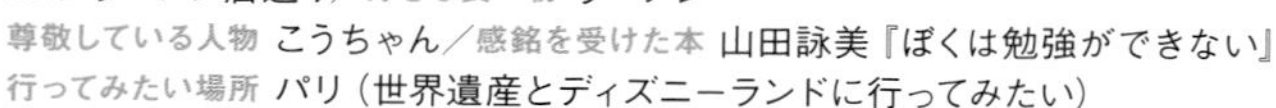

東大受験へのモチベーションと合格戦略

なぜ僕が東大を受験しようと思ったのか。一言で言えば、**負けず嫌いだったから**です。

話は中学時代まで遡ることになります。当時は勉強に自信がありました。田舎の公立中学校で「お山の大将」をやっていました。「地元では勉強ができる方だった」という経験が「負けず嫌い」を育みました。

そして、高校は県内のトップ校に進学しました。しかし、高校最初の校内テストの順位は、何と120位。中学時代には1桁の順位しか取ったことのなかった僕はとてもショックを受け、そこからは勉強に対して無気力な日々が続き、部活・文化祭に打ち込むようになりました。

転機は、高1の冬にあった進路希望調査。当時は数学だけは比較的得意で、また好きでもありました。そんな僕は、「入試で数学を使う文系の大学を志望しよう」と考え、ざっくりと調べると、東大・一橋・慶應などがヒットしました。僕の最初の選択は一橋大学でした。「自分には東大なんて……」と思っていたので、何だか名前のかっこいい一橋大を志望したことを覚えています。

しかし、高校2年生になる頃、とある友人が先生に**「東大を目指さないか？」**と声をかけてもらっていたのです。僕は「自分には無理」と思う一方で、**「俺だって……！」**とも思うようになりました。そうはいっても成績は鳴かず飛ばず。なので、そこからはこっそりと勉強をするようになりました。何せ負けず嫌いだったので。結局、合格発表を見るまでは「自分には無理」という思いを払拭することはできなかったし、何度も諦めそうになりました。しかし**最終**

的に合格を勝ち取れたのは、根本に負けたくないという思いがあったからこそ。負けず嫌いだからこそできたことです。

次に具体的にどのような勉強をしたかをご紹介します。

まず、各教科において、高校教科書の内容を授業で勉強し終わるまでに基礎を叩き込みました。基礎といっても簡単な部分という意味ではなく、**難問を解く際にエッセンスとなる部分**という意味です。特に、数学と地理は得意科目だったため武器になるようにと、丹念に勉強しました。具体的には、

・**公式の丸暗記ではなく、導出過程まで暗記する**

・**なぜそのような解答を作ったのか発想を知る**

先生や参考書に対して、とにかく**「なんでそうなるの？」**という疑問を持ち続けました。通底しているのは、**表面的な知識の暗記ではなく、論理に裏づけられた知識体系を作る**という姿勢です。これは他の科目の勉強についても同じです。あとは、とにかく過去問を解きました。東大はもちろん、旧帝大などの過去問も解きました。基礎をつけていたおかげで**「難問に取り組むための土台」**はきっちりできていたので、そこからはかなりスムーズに勉強を進められました。

一方、僕は現代文と世界史が苦手でした。しかし、東大合格に必要なのは、あくまで**各科目の点数の合計が一定水準をクリアすること**です。苦手科目に関しては最低限取らないといけない点数だけ決めて、あとは得意科目で補うという戦略を立てました。たとえるなら、**得意科目は「武器」、苦手科目は「防具」**です。防具を強化するのは敵の攻撃（大学の出題）からのダメージ（失点）を最小限にするためで、武器を強化するのは敵により大きなダメージを与える（より多く得点する）ためという棲み分けです。目標が決まってからは、そんなふうにゲーム感覚で自分の武器と防具を鍛えていきました。

このような戦略を考えるときには、相手の特性についても考えます。たとえば、

・理系科目ほど点数が伸びやすく、差もつきやすい

・文系科目ほど点数が伸びにくく、差がつきにくい

と言われますよね。特に文系で東大を受験する際には、数学が得意だとかなり有利になります。元々数学が得意だったというのもありますが、このような理由から数学を武器にするという戦略を取りました。こんなふうに、**ゲーム感覚で自分の能力と相手の特性を見極めることも受験において重要なひとつのポイント**になると思います。

02 宮原仁

Profile 所属 京都大学法学部卒
QuizKnock 担当 ライター、クイズ記事担当
趣味 クイズ、ビブリオバトル／好きな食べ物 餃子
尊敬している人物 大久保利通／感銘を受けた本 夏目漱石『こころ』
行ってみたい場所 フィレンツェ（美術館巡りをしたい！）
@jin_quizknock

浪人生活は貴重な学習見直し期間。苦手だった数学の見方が変わり、面白い教科に

京都大学に入りたいと最初に思ったのは、いつのことだったか。クイズ番組などの影響か、私は子供の頃から漠然と京都大学に対する憧れのようなものを感じていて、自分も入学したいと思っていました。

しかしながら、高校３年生の時点では、力不足と言うべきか、準備不足と言うべきか、入学することは叶わず、１年間の浪人生活が始まることとなりました。

高校生活での反省点としては、ふだんの定期テストでそれなりによい点数が取れていたことで、「まあ大丈夫だろう」と根拠のない自信だけを持ったまま、大学入試を確固たる目標とした勉強をしてこなかったことにあるんだろうと思います。上記のように、「漠然と」京都大学に憧れを持っていただけで、過去問を解いたり、それをどのくらい解ければ合格圏内なのかを調べたりといったことを始めたのは、３年生のかなり直前の時期でした。

そんな私ですが、予備校に入ってからは、「大学入試」だけを見据えた1年間を送ることとなります。

高校時代の反省を活かして（と言えば聞こえがよすぎる気もしますが）、浪人時代に意識していたのは、**「いまの自分の力」と「京都大学に合格するのに必要な力」にどれくらいの隔たりがあるのか**でした。わかりやすい手がかりになるのは、何ヵ月かごとに受ける模擬試験や実力テストです。「実力テストは実力を測るものなのだから、ありのままの状態で受ければいい」とはよく聞く

言葉（言い訳？）ですが、私は賛成できません。実力を測るのなら、**「いま、本番の試験を受ければ、どのくらいの点数が取れるのか」**を知っておくべきだと思います。そのためには、本番と同程度とはいかないまでも、復習・対策といった準備をそれなりにやった上でテストを受けた方が絶対に有益です。さらに言えば、定期的にそういう復習・対策を行うことで、本番に向けての下地を作ることにもつながります。

模擬試験だと、志望校への合格率が点数発表とともに返ってくることも多いですが、合格率がどんどん上がっていくのを確認すると、受験勉強への励みにもなります。

浪人生活は、せずに済むならその方が絶対にいいものですが、**高校３年間の学習をもういちど見直すというのは貴重な経験**だったとも思います。高校時代から、好きな教科も嫌いな教科もありましたが、浪人時代に印象が変わったものも多くあります。

特に数学は、高校時代は一番の苦手教科で、結局得意と言えるまでにはなりませんでしたが、問題を解くのを「楽しい」と思えるようにはなりました。高校時代は、定期テストのために公式や定理を覚えて、「こういう問題ならこの公式」といった具合に機械的に解くことが常態化していましたが、当然そんな調子では面白くはないし、入試にも通用しないわけです。

「この公式にはどんな意味があるのか」「なぜ、この問題を解くのに使えるのか」、そんなところから考えていくと、**論理的思考を問われるパズルのようで面白いと思えるようになりました。**さらに、数学の問題は、時間をかければ絶対に解けるものであると考えることで、苦手意識もなくなっていきました。

私が数学を嫌いだと思っていたのは、「面倒な計算が嫌い」といった「算数嫌い」からきていた部分が多いのではないか、といまでは思っています。いまは勉強が嫌いと思っている人の中にも、私のように第一印象に引っ張られて食わず嫌いをしている人もいるかもしれません。だとしたら残念なことです。**ちょっと視点を変えたりするだけで、ひょっとすると嫌いだった教科にも好きなところが見つかるかもしれません。**

私の場合、数学が嫌いだと思っていた頃と比べると、数学って面白いと思えるようになってからの模擬試験の成績はかなりよくなりました。

QuizKnockメンバーの受験体験談

03 はぶき りさ

Profile 所属 東京藝術大学音楽学部作曲科（2020年卒）
QuizKnock 担当 ライター、音楽系の解説記事
趣味 美味しいものを食べること／好きな食べ物 洋菓子
尊敬している人物 友達全員／感銘を受けた本 梨木香歩『りかさん』
行ってみたい場所 ヨーロッパ（気候と建築の面で日本では聴けない音の響き方を聴きたい）

ポジティブに自分の成長と向き合うのが大切！

私が作曲科に進もうと決めたのは、高校２年生のときでした。

いまでこそオーケストラスコアを書いていますが、実は小中学生の頃は作曲が苦手でした。いま思えば、音楽を全然聴いていなかったために自身の中に音楽のストックがなかったのだと思います。ですが、その頃はよいメロディやハーモニーが思いつかない理由を才能がないからだと思っていたので、苦手だと思い込んでいました。

そういうわけで、演奏ばかりで作曲を避けてきた音楽人生だったのですが、進路選択の際、音大受験を考えていることを音楽の先生に話すと「君のいまの実力なら、作曲科を目指してみたら楽しいんじゃないか」とアドバイスを受けました。これはいまでも不思議なのですが、なぜかその一言で**「確かに、作曲ができるようになったら楽しそう」と、あっさり作曲科受験を決めてしまった**のです。

芸大受験を決めたのはそのあとのことで、これは私の希望というより両親の希望でした。芸大の作曲科は、勉強しなければならない分野が他大学の倍以上あるので、正直最初はあまり乗り気ではありませんでした。しかし、芸大を目指して勉強しているうちに**「こんなに頑張って勉強しているのだから、絶対に合格したい」と思うようになり、それ自体もモチベーションになっていた**と思います。

ここからは受験勉強について書きたいと思います。芸大作曲科はセンター試験（国語・外国語）に加えて実技が１～４次試験まであるので、前述した通り勉強することがかなり多いです。細かく説明するととんでもない長さになるので、「センター試験」「音楽の基礎的な分野（楽典、聴音など）」「作曲の専門分

野（和声、対位法など）」の３種類に大きく分けて、勉強スタイルを書こうと思います。

まずセンター試験ですが、作曲科は６割程度の点数が取れればよかったので、不安だった英語のみ映像授業の塾に通って対策をしていました。作曲の勉強が行き詰まったときに息抜きとして軽く勉強をする程度でしたが、実際の結果は国語と英語を合計して7.5割くらいだったと思います。

次に音楽の基礎的な分野ですが、好運にも私の高校は音大受験対策用の授業をしてもらえたので、授業を集中して受けて、こちらも家ではほぼ勉強しませんでした。授業では、リズムや音程を正確に歌う練習をしたり、音楽用語を覚えたり、入試が近づく頃には芸大の過去問を数年分解いたりしました。それだけでも本番（４次試験）で十分に力を発揮できたと思います。

そして作曲の専門分野ですが、こちらは外部の複数人の先生に指導を受けていました。高３の夏頃からは１次・３次試験対策のレッスンが月３回、２次試験対策のレッスンが月２回で合計月５回のレッスンに通っていましたが、一度のレッスンで大量に宿題を出されていたので、それをこなしながら学校生活を送るだけで精一杯でした。自主的に勉強をしたのは試験本番まで１ヵ月を切ってからでしたが、そのときはそれまでの課題を解き直したり、作った課題をピアノで演奏したりして復習しました。

さて、ここまで受験のモチベーションや勉強の様子を書きましたが、芸大作曲科を受験する人でないと参考にならないような内容になってしまったので、せめて最後にどんな分野の受験生にも共通しそうなことを書きたいと思います。

高３の秋頃、当時の作曲の先生に「他の受験生たちはここまでできているけど、君はまだここまでしかできていない。このままだと厳しい」とはっきり言われたことでメンタルを崩してしまい、学校も数日行けなくなったことがありました。

結局最後まで完全には立ち直れませんでしたが、そういう受験時代を経ていま思うのは、**「他人ではなく、自分自身がどれだけ成長したかと向き合うべき」**ということと、「いまがどうであろうと試験本番でできればいい」ということです。文系や理系の人で言うと、模試の結果などについて同じことが言えるのではないでしょうか。当時の私にこの２つの軸があれば、もう少し楽しく勉強ができていたのではないかと思います。**一番効率的な勉強法は、「ポジティブにやること」**だと私は思っています。

04 山本祥彰

Profile 所属 早稲田大学先進理工学部応用物理学科卒
QuizKnock担当 動画の出演・企画・編集、ライターなど
趣味 クイズを作ること、フットサル／好きな食べ物 寿司
尊敬している人物 両親／感銘を受けた本『田中健一の未来に残したい至高のクイズⅠ』
行ってみたい場所 月（地球がキレイに見えそう）

漢字で世界が広がる心地よさと漢検攻略法

僕が漢字を好きになったのは、小学生の頃でした。当時の僕は、テレビのクイズ番組で難しい漢字を軽々と読んでいる方々を見て、憧れを抱いていました。それから漢字に興味を持ち、100円ショップで難読漢字の本を買ったり、親が持っていた日本語の本を読んだりするうちに、漢字というものが、徐々に自分の得意ジャンルになっていきました。**新しく知らない漢字に出会うたびに、自分の世界が広がっていく感覚が心地よかった**のを覚えています。

子供の頃の自分にとって「大人に勝てる」というのは非常に気持ちがいいもので、両親に漢字クイズを出したり、クイズ番組で芸能人が読めなかった漢字を答えたりすると、そのたびに**自分の中の漢字愛が育まれていき、さらなるモチベーションにもつながりました。**

漢字の勉強を通して日常生活で使える語彙（ごい）が増えたり、植物や動物の名前を知ることができたりと、いまの僕の知識の根底には漢字が大きなウェイトを占めていると思います。たとえば**「満天星（どうだんつつじ）」**や**「鱟魚（かぶとがに）」**という言葉は、存在を知るよりもさきに、漢字の読みを知っていました。好きということから学んだ方が、覚えやすくもあるのだろうなと思います。

そんな中、中学２年生のときに、初めて「勉強」を意識して漢字を学ぶようになりました。目標は、漢字検定準１級合格。楽しみながら勉強し、試験は一

発合格でした。四字熟語以外は特に苦もなく勉強していたように思います。

しかし、とんとん拍子に進まないのが漢字の勉強の難しさであり面白さ。高校受験をはさんで意気揚々と挑戦した漢字検定１級は２回連続で不合格。人生初の挫折を味わった僕は、部活動やクイズなど、漢字以外の趣味にハマり、漢字の「勉強」からは離れていきました。あくまでも趣味なので、やりたいことを犠牲にしてまで勉強する必要はないですからね。

「勉強」から離れているあいだも漢字のことは好きだったのですが、最近、また漢字を学びたい気持ちが強くなったので、現在、漢字検定１級合格を目指し勉強中です。ゆっくり楽しみながら勉強しています。では、僕が実際にどのように漢字を勉強しているのかをご紹介します。

受けたことがある方は知っていると思いますが、漢字検定の問題はいくつかの大問に分かれています。その中には、点数が取りやすい問題と取りにくい問題があります。現在の僕の勉強法は、**取りやすいジャンルの問題は確実に正解することを目標**にしています。たとえば、書き問題では必ず「国字」を問う問題が出ます。国字の出題範囲は160字程度と少なく、絶対に落とさないように勉強します。過去に準１級を受験した際にも、同じような考え方で勉強をしていました。準１級は１級に比べて過去に出題された問題が繰り返し出される傾向が強いので、過去に出された問題は間違えないよう、勉強をしていました。

逆に、範囲が広く全部覚えきれないようなジャンルは、効率よく勉強するようにしています。**故事・ことわざのジャンルは特に範囲が広く、１級の勉強をする際には、よく出題されるものだけ覚える**ようにしています。

このように、**漢字検定もゲームのように攻略法を考えて戦っていくと、楽しみながら勉強することができます。**検定試験や受験では、合否という結果だけを評価の基準にしてしまいがちですが、その過程にも大きな意味があるのではないでしょうか。好きなことを好きなだけ学べることに感謝し、これからも過程と結果を、両方楽しんでいければと思っています。

あなたが大切だと感じたところを抜き出して書いてみましょう。あなただけの本にしてみてね！

PART 03

「つながる」って楽しい

友達と会話をしていて、何かの拍子に「通じ合った」「共感できた」瞬間って気持ちいいですよね。また、自分とは異なる他の人の違った感想や感覚を「共有」できると、自分ではわからなかったもの、よく見えていかなったものの見方を知ることができます。このように「他人の視点」を共有することができると、これまでの何倍も自分の楽しいものを味わえるようになるのです。第３章では、「共感」と「共有」を通して「学び」について考えていきましょう。

Q 映画に登場する
この城は何でしょう？

ホグワーツ城

大正解！
2人とも
やるじゃん
QuizKnockの
こうちゃん!?

さっきみたいに
「知識を共有」できると
嬉しいよネ
クイズをやっていると
感じるんだけど
「知識を共有」
することで
初めての人とも
仲よく
なれるんだ
クイズ大好き!!

あの映画は
小さい頃家族で
よく見ていたん
です……
へへへ…

そういえばこの前
山本さんが
勧めてくれたマンガが
学校の友達も好きで
めちゃくちゃ
盛り上がったよ
へーっ！
ラガーメン

知るということは
つながること
なんだネ
知識を
共有する人同士で
「秘密の会話」が
できたとき
楽しいと
感じるよね

そうだね……
秘密の会話……
QuizKnockの動画の
「朝からそれ正解」
みたいですね！
「あ」で始まる
危ないことといえば？

たとえば僕だったら
歴史が得意だから
各国の歴史を
知っている
おかげで
ニュースを見て
その国がどういう意図で
政策を行っているのか
推測できる
ニュース

山本さんなら
漢字を見てその由来を
思い浮かべることが
できたり
「斗」の由来
柄杓の形から
きている

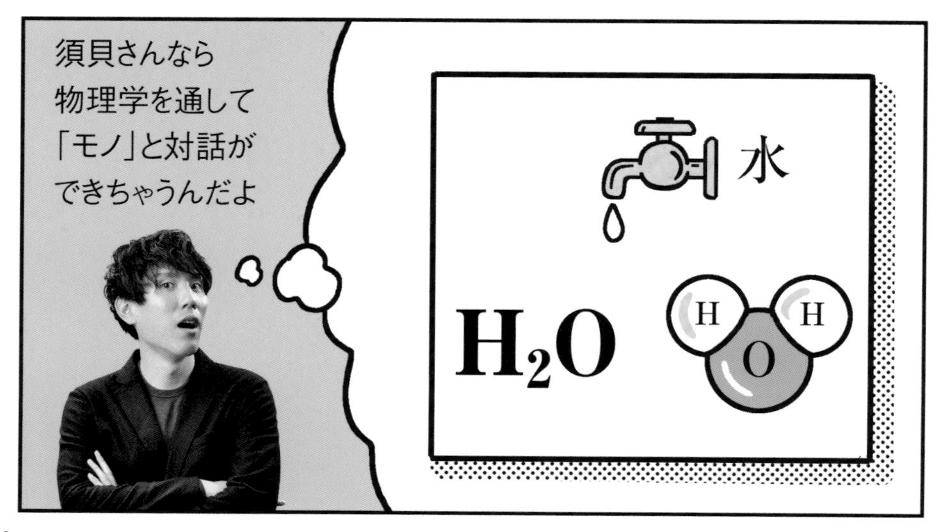
須貝さんなら
物理学を通して
「モノ」と対話が
できちゃうんだよ
水
H_2O
H
H
O

私も
あります！

物理の勉強をしていたら
ピアノの発表会で使う
コンサートホールの
構造について
理解できたわ

あの凹凸構造は
音の反響をリッチに
するためなんだって
へーっ！

面白いなぁ……
知識が増えれば
こんなにも世界と
つながれるんだね！

どうだい？
「世界の見方」が
変わるだろう？
知識をたくさん蓄えれば
いろんな人やモノと
つながれちゃうんだネ！
うん、うん…

好きなマンガで
友達が増えたり
……
キ
ラーメン

世界中のアニメ好きと
つながれたら楽しそう！
Anime

もっと学んで
好きなものを
増やしたい
なあ

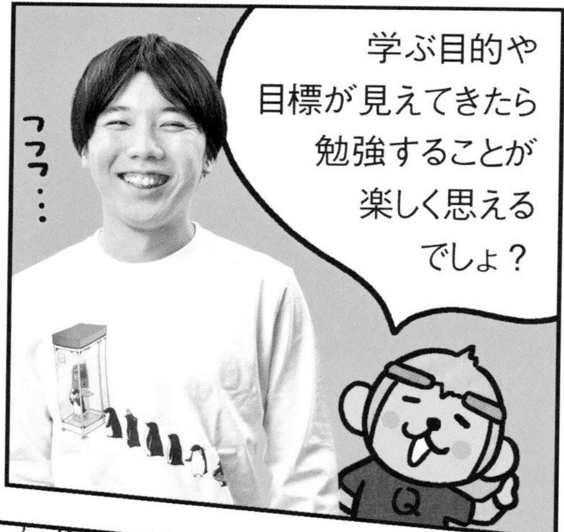
学ぶ目的や
目標が見えてきたら
勉強することが
楽しく思える
でしょ？
フフフ…

何だか
学ぶ意欲が
湧いてきたぞ！
その調子！
その調子！
あつい…

患者さんや同僚と
深い信頼関係が
築けたら素晴らしい
じゃない
私も医学の知識
だけでなく
もっといろんなことを
知っている
お医者さんに
なりたいわ

好きなことや
喜びを感じるための
「勉強」は
大人になっても
役に立つし
大人になっても
学び続けることが
できるのさ
人生が豊かに
感じられる
はずさ！

1 一緒にやると楽しくなる

ポイント

☑ 自分を変えてくれるような「出会い」について考えよう
☑「共感」や「共有」が体験の質を高めてくれるかもしれない

人との共感や共有、自分を変えてくれる出会いの楽しさ

この本ではここまで、「自分が好きなものをもっと楽しむ方法」（第１章）と「自分が好きじゃないもの（勉強）も楽しめるようにする方法」（第２章）について考えてきました。これらの方法はある意味で**「ひとり用」の方法**です。自分の中にある「どんなものが好きか」「何を目指したいか」を伸ばしていくための方法がメインでした。とはいっても、いろんなことを知っている人や勉強が好きな人たちが、みんな最初から「好きなもの」が決まっていてそれを究めようと思っていたか、あるいは、好きじゃなかった「勉強」をゲームに見立てて楽しもうと工夫していたかというと、そんなことはありません。おそらく多くの人が、一番初めは、**自分以外の人たちと関わっていく中で、一方で「好きなもの」や「楽しいこと」、他方では「勉強しなきゃ」というプレッシャーに出会ってきた**のだと思います。まだ出会っていない人にも、これからそうした出会いが待ち受けているでしょう。この章では、そんなふうに**自分を変えていくような出会い**について考えてみたいと思います。

それがどういうことかと言えば、「何をやる」「どこを目指す」ということが決まっていない状態、決めていない状態から、**楽しむことをきっかけに「何かに」「どこかに」つながってい**

くような出会いについて考える、ということです。より具体的には、**「友達と一緒にやること」の楽しさ、「偶然の出会い」の楽しさ、「物の見方が変わった！」の楽しさ**といったものについて考えてみようと思います。

まずは、「友達と一緒にやること」の楽しさについて考えてみましょう。私たちがふだん感じている「楽しさ」は、スポーツや食事といったコンテンツの中身以外のものにも大きく左右されます。その中で一番大きな要素が、**「一緒にやること」**だと思います。ひとりでできることでも、誰かと一緒にやることによってより楽しくなるということは、感覚としてもよくわかると思います（残念ながら、一緒にやることで楽しさが失われてしまう場合もありますが……）。

でも、「一緒にやること」がどうして楽しさにつながるのでしょうか。第１章でもやったように、「一緒にやること」の「体験の質」を考えてみましょう。ひとりでできることでも、誰かと一緒にやることで楽しくなる。そのとき、ひとりでやっているときにはなかった要素と言えば、**一緒に見たものや聞いたものの感想を「共有」したり、さらには同じ感想や感覚を持ったことを確認し合って「共感」したりすること**、が挙げられます。もちろん、一緒にやることによって効率が上がり、それがさらなる楽しさにつながったりするような場合もありますが、いまは「共有」や「共感」の方に注目してみましょう。ここからは、**「『一緒にやること』が『共感』や『共有』をもたらすことによって、体験の質を高めてくれるのではないか」**という仮説に基づいて、もっといろんなものを楽しむ方法について考えてみたいと思います。

2 「共感」を深めて、こっそりつながる喜びへ

ポイント

☑「通じ合った」という感覚は楽しいし、気持ちいい
☑特定の人とこっそり通じ合えることが深い喜びをもたらす

「通じ合った」という感覚が深い喜びを生む

さて、ここからは共感や共有がどのように体験の質を高めてくれるのかを考えてみたいと思います。私たちの能力では、ここで学術的な議論を行うことはできませんが、ひとつの仮説としてあなたの実感と照らし合わせてみてください。

共感するときにも、共有するときにも、そこで大事なのはもちろん、あなたが一緒にいる誰かです。その誰かがいることによって、いないときにはなかった効果が生まれているはずですね。共感するときには、あなたとその誰かが同じ感覚や感想を持っていなければなりません。ですが、同じものを分かち合っていることを確認し合うと、不思議なことにそれだけで楽しくなったりしてしまうものです。**「通じ合った」という感覚がそのまま気持ちよさになったりします**よね。

この「通じ合った」という感覚を深めるとどうなるでしょうか。共感というのは、自分以外の誰かと同じ感覚を持っていることを確認することでした。それを深めようと思ったとき、たとえば２つの方向が考えられると思います。「全員が通じ合った」と思えるような状況を目指す方向と、「好きな人と通じ合った」と思えるような状況を目指す方向です。これを勉強に絡めてみると、前者は「勉強を教える人が作りたい状況」で、後

者は「勉強をする人が作りたい状況」と言えるかもしれません。なので、この章では**勉強をする側の目線に立って、「好きな人と通じ合った」という方向に共感を深める方法を考えてみましょう**。

QuizKnockのYouTubeチャンネルには、**「朝からそれ正解」**という人気企画があります。これは、たとえば「『し』で始まる速いものと言えば？」という感じで、あるお題に当てはまるような言葉をプレゼンし合って正解を決める企画です（例題の答えは「新幹線」など）。この企画の面白さは、いろんな言葉を知っているQuizKnockのメンバーたちが、ある意味で視聴者を置いてけぼりで議論に熱中するところだと言えます。実際の動画で「『や』で始まる疲れることと言えば？」というお題が出たときに、「ヤールギュレシ」や「矢数俳諧（やかずはいかい）」という答えが出て、メンバーのあいだでは多くの共感を得ました。

どちらも有名な言葉ではありませんが、メンバーのあいだには**「クイズをやっている人たちとなら、この答えでも通じ合えるだろう」**という信頼感があり、それを実際に出して共感を得られると、「山登り」のようなふつうの言葉で通じ合ったときよりも盛り上がってしまいます。こんなふうに、**誰もが知っているわけじゃないけれど、あの人なら知っていそうなことをめがけて、それが「通じ合った」と思えると、ときにとても深い喜びをもたらしてくれます。**

みなさんは、友達と**「自分たちだけの暗号」**を作ってメッセージを送り合ったりしたことはありませんか？　たとえばギャル文字（知らない方はぜひQuizKnockの動画を見ましょう）のような一見読みにくい文字も、特定の人と通じ合うための工夫ですね。そういう工夫をすると、メッセージ自体は単純なものであっても、通じたということがとても嬉しく思えるのです。

3 好きな人と「通じ合う」ために学ぶ

ポイント

☑「通じ合いたい！」が学びのモチベーションになる
☑学びとは、自分が近づきたい人やモノとのあいだに共通言語を作ること

世界のあらゆる人やモノと「共通言語」を作ろう

こんなふうに、**「他の人にはわからないかもしれないけれど、特定の人とこっそり通じ合う楽しみ」**が、共感を深めたさきに見えてきます。さきほど言った「朝からそれ正解」は、クイズプレイヤーたちがこっそり通じ合っている様子をインターネット上で公開しているようなものと言えるかもしれませんね。もしQuizKnockの動画を見て、「この人たちの言っている言葉を知っていたら、もっとこの動画を楽しめるんだろうな」と思ったら、それこそがこの章で伝えたいメッセージです。学びの原動力は、好きなものや学校の成績だけではありません。**自分が好きな人たちと通じ合える喜びも、学ぶための立派なモチベーションになる**のです。

世の中にあるものなら、何でも学びの対象になります。それが、好きな人や自分が近づきたい人の趣味であっても、専門分野であっても構わないのです。自然科学を研究しているような人たちは、もはや周りにいる人間ではなくて、この世界と通じ合いたいと思っているのかもしれません。物理学や化学を詳しく勉強している人には、何の変哲もない日常の風景が、他の人には見えないメッセージを発信しているように見えているかもしれません。つまり、**科学者は他の人たちよりも世界と通じ合**

っているのです。映画のワンシーンを見て「○○のパロディだ！」と気づくときにも同じことが起きています。そのとき、観客は映画監督と秘密の暗号をやり取りしているのです。そんな秘密のやり取りが楽しいからこそ、もっと物理や化学を学んだり、もっとたくさんの映画を見たり……そんな学びもあります。**学びとは、自分がもっと近づいてみたい人やモノとのあいだに「共通言語」を作ること**である、と言えるかもしれません。

あなたがもっと近づいてみたいものは何でしょうか？ それをめがけて学びに取り組んだとき、好きな人の好きなものが自分の好きなものに変わったら、ぜひこの本の第１章も読んでみてください。そして、もしそれが辛い勉強になってしまったら、この本の第２章を読んでみてください。きっと役に立つことが書いてあると思います。

さて、ここまで「共感」について考えてみました。次は、ちょっと違う目線で**「共有」の楽しさ**について考えてみましょう。

Episode

ミニコラム

大学のゼミ（須貝）

大学に入っていいなと思ったのが、ゼミ形式の勉強会。まず、自分が予習をしてこないと他の人に迷惑をかけちゃうから、面倒でもなるべくやってくるようになる。仲間とお互いを監視し合うのは本当に大事。次に、脳ミソをたくさん使えるのは本当に素晴らしい。ひとつの問題をみんなで考えると、５人なら脳ミソを５個使って考えているようなもので、ひとりでずっと机に向かっていても解決できない問題があっさりと解けちゃうことがある。反対に、同じ分野について調べてくることを５人で分担したら、５倍の速さで調査が進む。もちろん、そんなに理想的には回らないけど、学びを前に進めるこういうシステムをうまく利用できるのが大学のいいところだと思う。

4 「共有」されるのは「他人の視点」

ポイント

☑「共有」するときの「体験の質」について考えてみよう
☑「共有」は楽しいものに対して絶大な効果を生む

他人の「ものの見方」を共有すれば、いろんなものが見えてくる

この章では、あえて「共感」と「共有」を区別しました。「共感」が同じものを持っていることの確認だとすれば、これから考える**「共有」はお互いが違うものを持っていることを確認すること**だと言えます。共感と共有のどちらを好むかは、人によって大きく分かれるかもしれません。

さて、それでは「共有」するときの「体験の質」を考えてみましょう。この本で共感と区別した共有とは、**他人が自分とは違う感想や感覚を持っていることを確認すること**だと言えます。同じレストランで同じものを食べたはずなのに感想が全然違っていたり、「クラスの雰囲気をよくするために何をすべきか」を考える学級会で友達が自分とは全く違う意見を持っていたりと、いろんな場面で私たちは共有をしています。こういう例を出すと、共有って全然楽しくなさそうですよね。ある意味で、自分が否定されているような気分になる人もいると思います。でも、人それぞれではありますが、共有が楽しみに変わるような場面も考えることができます。

たとえば、学校の国語の授業で有名な文学作品を読んだりすることがあるかもしれません（太宰治とか、芥川龍之介とか）。いくら有名だとか、素晴らしい作品だとか言われても、ふつう

に読んでもあまり楽しめなかったりしますよね。読んでみた感想を発表することになったけれど、自分は特に発表できるような感想がない。でも、他の人はずいぶんと真面目な感想を持っている。そんなことがあったりします。よくよく聞いてみると、その人は「主人公が自分だと思って読んだ」と言っていてびっくり。小説ってそんなふうに読めるんだ！ と思ったりします。他にもこんなこともあるでしょうか。美術の授業で有名なアート作品（「モナリザ」とかピカソの絵画とか）を見せられたけれど、全然何とも思わない。でも、友達の感想を聞いたら、「この絵ってそういう意図があったんだ！」とびっくり。絵画ってそんなふうに描かれていたんだ！ とか。

このような体験は、文学やアートに限ったものではありません。ドラマや映画を見ていて、友達に「あれが伏線だったんだよ」と言われてやっとどんな物語かわかったりするようなこともあると思います。このとき、**共有されているのは他人の「ものの見方」**です。同じものを自分以外の人がどう見ているのか、どう感じているのか。それが共有されてやっと、いろんなものが自分にも見えてくる。そんな経験をしたことはないでしょうか。

自分がわからなかったもの、よく見えていなかったものが、自分とは違う他人のものの見方を共有することではっきりしてくる。これが共有の効果です。もちろん、見たくなかったものや、考えたくなかったことまで共有してしまうこともあります。でも、**共有はときに、楽しいものに対して絶大な効果を発揮**します。自分の好きなものを他人がどう見たり、聞いたり、考えたりしているのかを知ると、自分の好きなものをもっと深く味わうことができると思いませんか？

5 視点の共有＝謎解き？

ポイント

☑ 他人の視点を共有するともっと自分の好きなものを楽しめる
☑ 頭を柔らかくする「謎解き」は他人視点の共有を楽しむもの

ものの見方が複雑になれば、好きなものを何倍も楽しめる

他人の視点を共有すると、いったいどんなことが起こるでしょうか。ずばり、他人の視点を共有することによって、同じものをいくつもの方向から見たり、聞いたり、考えたりすることができるようになります。そうすると、自分がこれまで意識したことのなかったもの、全く気づいていなかったものが見えてきます。これはものすごく大げさに言えば、**これまでの２倍も３倍も、自分の楽しいものを味わえる**ということです。

世の中には、いろんな「ものの見方」や「考え方」があります。たとえば、これまで人類がどんなものの見方や考え方をしてきたかのコレクションとして、哲学を挙げることができます。本屋さんに行って哲学の本（なるべく簡単そうなもので構いません。子供向けのものもオススメです）を開いてみてください。古今東西のいろんな人たちが、どんなふうに見たか、どんなふうに考えたかが書いてあります。別に哲学者から学ぶ必要はありませんが、**他の人たちがどんなものの見方をしているかを知ると、自分のものの見方も複雑になってきます。そして、自分のものの見方が複雑になる一番の効果は、自分の好きなものを２倍も３倍も楽しめるようになることだ**、というのがこの章で伝えたいことです。

複雑なものの見方だとか、哲学だとか、そんなふうに書くと、少し遠い世界の話に思えるかもしれません。では、こう表現してみたらどうでしょうか。**「頭を柔らかくすると、物事をもっと楽しめるようになる」。**「頭を柔らかくする」というフレーズは、みなさんもどこかで聞いたことがあると思います。たとえば、最近流行りの「謎解き」をするときにはよくこういうことが言われますよね。他にも、小学校の受験問題で「頭の柔らかさ」を問う問題が出題される、というのをテレビで見かけたりします。

実は、**謎解きの楽しみ、ひらめきの楽しみというのは、ここまで説明してきた「他人の視点を共有する楽しみ」でもある**んです。それはどういうことでしょうか。

謎解き問題の多くは、常識的なものの見方をいったんストップして、ふだんとは別の方向から問題を眺めてみることで解ける場合が多いです。これを**「ひらめき」**と言ったりします。このときに起きているのは、ひらめいた人と問題を作った人の視点の共有なのです。問題を作った人が、常識的なものの見方を離れて、どんなふうに世界を見ていたのか。それを共有するのが、謎解きの目標になっているのです。

謎解きをどんどんやっていくと、何にも不思議なところのない文章が、実は違った意味に読めるんじゃないか？　とか、文字を分解してみたらどうなるか？　とか、そんなふうに**自分のものの見方が、二重、三重になっていきます**。その楽しさを実感してもらうために、ちょっとだけ謎解きの問題を用意してみました。**あなたが「ひらめいた」とき、常識的な見方から離れて、自分がどんなものの見方をしているかを意識してみましょう。**

ものの見方を鍛えよう！

謎解きワーク

謎解き問題を解いて、いろんなものの見方を取り入れる練習をしてみましょう。
ふだんとは違うものの見方で、共通点をうまく探してみてください。
謎解き問題を解くためには、共通点を探すことがとても大事です。
全部で4問、あなたはいくつ解けますか？

Q1 「ある」に共通することは何？

ある	なし
イチョウ	もみじ
はちまき	たいこ
サンタ	そり
キュウリ	カボチャ

Q2 「ある」に共通することは何？

ある	なし
日本	韓国
相手	味方
階段	順番
会社	学校

Q3 ? に入る漢字は何？

3
26
29
45
⇒ 容

11
29
30
⇒ ?

Q4 ？に入る漢字は何？

ANSWER

［答え］

Q1

「ある」の方には、
すべて数字を表す言葉が入っています。

（「イチ」ョウ、「はち」まき、「サン」タ、「キュウ」リ）

Q2

「ある」の熟語は、1文字目と2文字目を
入れ替えると別の熟語になります。

（日本→本日、相手→手相、段階→階段、会社→社会）

Q3

正解は「茶」です。

3番目のカタカナは「ウ」、26番目のカタカナは「ハ」というように、数字は五十音順のカタカナを表しています。対応するカタカナを縦に並べると、矢印の先にある漢字になります。

Q4

正解は「地」です。

問題の並びは太陽系の惑星の順番を表していて、さらに曜日と惑星に共通する漢字は四角で書かれています。？に入るのは地球の「地」です。

いかがだったでしょうか？ ひらめいた人もひらめかなかった人も、ふだんの常識的なものの見方とは違った見方をすることが、謎解きでひらめくためのコツだということはわかったと思います。そういうふうに考えると、**謎解きは「視点の共有」をそのままエンターテインメントにしたもの**なんですね。多分、謎解きを作っている人たちは「私はこんなに新しいものの見方を思いついたぞ！」という感じで出題しているんじゃないでしょうか。それを解いた人は、謎解きを作った人と通じ合ったわけですね。こういうふうに言うと、さきほどの共感の話ともつながってくるかもしれませんね。

いろんなものの見方を獲得するための方法はいろいろあります。謎解きもそのひとつだと思います。とはいえ、やはりここでは**読書をオススメします。**本は、書いた人が自分のものの見方を他の人に一生懸命伝えようとして、ものすごく時間をかけて作られています。そして、その人のものの見方をうまく理解しないと、なかなか読み進められません（笑）。そういう意味で、**本を一冊読み通せるかどうかは、他の人のものの見方を自分が理解できているかどうかの目安になります。**人が人生をかけて育ててきたものの見方を、なるべく他の人にもうまく伝わるようなかたちでコンパクトにまとめてできたのが、一冊の本です。そう考えると、本というのはとてもお得なものに思えてきませんか？

6 共感と共有で広がる世界

ポイント

☑「他人志向」の学びの中に「自分志向」の学びに反転させるきっかけが潜んでいる
☑なりたい自分になるために、人生を楽しむために「勉強」が頼りになることがある

「もっと楽しく」「味わい深く」なるように好きを深めよう

ここまで、共感と共有の体験の質について考えてきました。共感は、他人と同じ感覚を持っていることを確認すること。共有は、他人が自分とは違う視点を持っていることを確認すること。そして、深い共感を得るためには、自分がもっと近づきたい人と通じ合うために学ぶことが大事で、深い共有を達成するためには、他の人がどんなふうに世界を見ているのかを「ひらめく」ことが大事なのでした。

このように書くと、共感を深めることも、共有を深めることも実は同じような学び方へとつながっていることに気がつきます。とはいえ、どちらが学びの出発点になるのかは、人それぞれでしょう。自分が他人と関わったとき、どんな場面で楽しさを感じるのか、ぜひ考えてみてください。

第３章で考えてきた内容を踏まえると、**「勉強」とは、誰かのあとを追いかけることだ、というふうに言えるかもしれません。**自分の好きな人、自分とは違う考えを持った人、そういう人たちを追いかけていくための手段として、この章では「勉強」や学びを位置づけてきました。ですが、最後にもうひとつ

だけお伝えしたいのは、そうした**「他人志向」の学びの中には、必ずそれを「自分志向」の学びに反転させるようなきっかけが潜んでいる**、ということです。これが、この章の最初でちょこっとだけ触れた**「偶然の出会い」**です。

好きな人と通じ合うために学ぶときにも、他人の視点で世界を見ようと背伸びをするときにも、あなたはそれまで知らなかった多くのものと出会うことになります。その中にはときどき、あなた自身が「これだ！」と思うようなものがあるかもしれません。そういった「偶然の出会い」がいくつも重なっていくと、あなたはただ他人を追いかけていただけのつもりなのに、いつの間にか他の誰とも違うあなたの個性ができあがっていきます。

もし、**「これだ！」と思えるようなものに出会ったら、今度はそれをあなた自身のために「もっと楽しく」「もっと味わい深く」なるように深めてみてください。**そういうものを見つけたときに、どんなふうに深めていくのかについては、第１章に私たちなりの考えを書いているので、ぜひそちらもご覧ください。**もっと楽しむためにやるもの、自分自身のためにやるもの。それが、この本の中でずっと伝えようとしてきた「勉強」の新しいイメージ**です。

もちろん、他人や環境に強制されるようにしてやらなければならない、辛かったり苦しかったりするような「勉強」もあります。そして、それに耐えてでも「勉強」をしなければいけないときもあります。しかし、それだけが「勉強」ではありません。**なりたい自分を見つけるために、見つけたなりたいものに近づくために、そして、ただ純粋に人生を楽しむために、「勉強」が頼りになることがあります。**そういう場面を見つけたら、ぜひこの本を読み返してみてください。

もっと深く学ぶための

「質問のススメ」

ここまで読んできたみなさんは、新しい好きに出会うため、そして好きを広げるために、いろんなことを知りたくてうずうずしていることでしょう。でも、どうやったら新しいことがらに出会えるのでしょうか？ 新しいことを知るために有効な手段のひとつが**「質問をする」**ことです。本を読んだり、ネットで検索したりすることも素晴らしい手段ですが、どこに知りたい情報があるのか見つけるのは、どんなに訓練を積んでも難しいものです。それなら、知りたいことをよく知っている人に知りたいことを質問してみればよいのです。実は、**物知りな人というのは、自分の好きなことをみんなとシェアしたい人が多い**のです。質問してみると、知りたかったことを知るだけでなく、いままで知っていたことをより深く理解することができるかもしれませんよ。

質問のコツ

ところで、質問するときに押さえておくと、より理解を深められる質問のコツがあります。2つ紹介するので、どちらかひとつでも、次の質問の機会に活かしてみてください。

1 質問する相手を考える

自分が質問したいことを、その質問の相手は知っているのか考えてみる、というのは当たり前ですが大切なことです。簡単な例だと、理科の先生に歴史のことを聞いて、自分が知りたいことが出てくるかは微妙ですよね。スポーツ好きの友達にサッカーの話を聞いても、その人が野球好きでサッカーには詳しくなかったら、知りたいことが返ってくるでしょうか？ 質問できるくらいの関係の人なら、お互いのことはある程度知っているはず。**質問を投げかける前に、相手のプロフィールを思い出すと、質問される方も答えやすいでしょう。**

2 前置きをする

あなたがその知りたいことについてどれくらい知っているのかを質問相手と共有できていれば、返ってくる答えはより明快になるでしょう。「オススメのアイドルを教えて」とだけ言われても、たくさんのタイプの違うアイドルグループがあって、相手は誰をオススメすればいいか戸惑ってしまいますね。「僕は元気な曲調が好きで、△△というグループの□□という曲は最高だと思ってる。それと似たような曲がもっとあるはずだと思ってるんだよね」と前置きしておけば、同じ質問でも中身は違って聞こえるでしょう。前置きのときに自分がどれくらい詳しいのか、そのファンしか知らない言葉遣い（専門用語）などがあれば、それを使って話してみると、**相手にどれくらい自分が詳しいのかを伝える手がかり**となります。

何を知りたいのかがはっきりする

1と**2**のコツがつかめていれば、自然といい質問ができるはずです。「1日何時間勉強すれば東大に合格できますか？」という質問を、「いま高校2年生で、模試は偏差値○○で、高校の勉強の進み方はこれくらいで、得意科目は△△、苦手科目は□□なんですが、東大合格のためにどれくらい時間を使うべきですか？」というふうに前置きをして、受験を乗り切ったばかりの東大1年生に聞いてみる、とすれば、よさそうです。**自分が知りたいことが相手の答えやすいかたちで聞けるといいですね。**さらに、答えてもらいやすいように、「国語にどれくらい時間を使うべきですか？」と内容を絞ってみるのもいいかもしれません。このように質問すれば、もしかしたら、「君に必要なのは国語ではなく、社会だ」と思ってもみない答えが返ってきて、質問したことでそれまで見えていなかったことが見えてくるかもしれませんね。**わかっていなかったことがわかるというのが、質問や会話の素晴らしいところ**です。

コツを押さえた質問ができれば、質問なんかしなくても自分で答えを導き出せるんじゃないかとさえ思えてきますね。もしかしたら、そうなのかもしれません。そうなれば素晴らしいですね。なるべく自分で答えにたどり着くためにも、誰かの力を借りて知りたいことをマスターするためにも、「質問のススメ」を覚えておいてください。

勉強テクニック

Q&A

このコーナーでは、QuizKnock でライターを務めているメンバー（須貝・山本・乾・ノブ）とゲスト（田村正資）が、よくある勉強テクニックについての質問に答える座談会を開催しました。

Q1

大学受験生です。暗記すべきことが多すぎて、心が折れています。効率的な暗記方法や記憶力アップのための方法などがあれば教えてください

A. 語呂合わせ、歌にして覚える

須貝：絶対に覚えるべきだと思ったものは、**30分以上ずっと唱えてたりした。毎日唱えたし、学校への行き帰りにも唱えたりしてました。**「る・らる・す・さす・しむ・ず・む・むず・まし・じ・まほし」（古文の未然形接続の助動詞）とかっていまでも言えるんですけど、やっぱり長時間唱えていたからだと思う。あとは、歌にしたりするのもいいと思う。

ノブ：覚え方の工夫は大事。歌もそうだし、他にも語呂合わせを考えるとか。**何かと結びつけて覚えるっていうのは大事**ですね。僕は質より量。**量をやっていたら質もついてくるっていう考え方**でした。まさに須貝さんと同じなんですけど。

A.「こまめ」に、「2方向で」

田村：英単語とかで言うと、自分でテストを作ったりして、**インプットとアウトプットをとにかくこまめにやっていた**。新しく覚えなきゃいけないものは、少ない量のインプットとアウトプットを繰り返していって、ある程度たまったらまとめて復習テストをやる。一気にたくさん覚えようとするよりも手間がかかるように見えるけど、「**こまめに」「２方向で」を意識してやった方が最終的には効率がよかった**と思う。とりあえず単語帳を眺めているときの集中力と、ある範囲の単語をテスト形式で思い出そうとするときの集中力ってまた差があって、いろんな状態で出し入れした方がしっかりと定着する。

ノブ：僕も同じようなことをやってました。泥臭いエピソードですけど、僕は高校生活を通して英単語帳を１冊しか使わなくて、その代わり、**全ページに対してテストを作っていて、テストを作ったら後ろの索引を眺めながら１単語ずつ復習していた**。覚えたやつからバーッて消して、覚えてないやつはもういちど戻ってやり直して。

A. 周辺知識ごと覚える

乾：僕は何事も周辺知識ごと覚えるようにしていました。覚える量が増えてしまって大変かな、と思うかもしれないんですけど、いろんなものを結びつけて覚えた方がかえって効率的だと思います。たとえば、学校のクラスの人を覚えるとき、40 人分の名簿だけ見せられて「これ覚えてください」って言われたら多分覚えられないんですけど、その人の顔や、入っている部活、仲のいい人だったらその人が好きなものも知ってるしなどと周辺情報がいろいろあると、同じクラスの人を名簿順で全員思い出せたりするんですよ。ただの文字情報だけじゃなくて、**いろいろな周辺情報をより多く知っておくと、思い出すためのフックが増えるのかな**と思いますね。世界史とかであれば、テストには出ないけど、この人にはこういうエピソードがあったな……みたいな、教科書のコラムに載ってるような話をいっぱい覚えるとか。

田村：たくさん覚えるっていうのは、ひとつのことをたくさん時間をかけて覚えるっていうよりも、**ひとつのことを思い出すための経路をたくさん作るっていうことなんだ**と思いますね。経路が増えれば、それだけしっかりと覚えられる。

Q2

ノートを取るのが下手で、あとから見返すと意味がわからないことが多く、嫌になります……板書の写し方、ノート作り、メモの取り方などのコツを教えてください

A. 過程を書いておく

乾：「忘れるのが前提」と考えてノート作りをしていました。問題を解くときに使うノートは、問題と答えだけじゃなくて、終わったら捨てちゃう計算用紙とかメモ帳に書くような過程も、しっかりとノートに残すようにしてました。重要なのって、どの問題に正解してどの問題を間違えたか、じゃなくて、**正解した問題を「どうやって解いたのか」、間違えた問題なら「どこまでは合っていて、どこでつまずいたか」**だと思うんですよね。だから、問題を解くときに、ここで因数分解をしているけど、何で因数分解しなきゃいけないのかの理由を説明できることが大事。そういうものもなるべく言葉にして残しておくようにする。答えを書くだけじゃなくて、何でこういうふうに解いたんだっけ、というのも言語化しておかないと、あとで見たときに肝心なところが思い出せなくなったりする。だから、問題を解くときに考えていることをなるべく言葉にしてノートに残すように気をつけていました。

A. 基本は板書をしっかり写す

須貝：僕はレイアウトとかも含めて、**板書を完全なかたちでノートに写すことを心がけてました。なぜかって言うと、それがテストに出る全部だから**。だから、まずは先生が工夫してくれたレイアウトを崩さないように写し取る練習をしたらいいのかも。高校までの授業は先生たちが本当に作り込んでるから写すだけで十分なクオリティになると思っている。それに、授業のノートでなくても、参考書の中にはあなたの頭に一番しっくりくるやつも絶対あると思う。だから、わざわざ作らなくてもいいと思っていて。自分で作ろうとしても、結局、単語書いて意味書いて単語書いて意味書いてっていうかたちのまとめノートになりがちじゃないですか。あんまりノートを作るのにこだわらなくてもいいかもしれない。むしろ、ノートや参考書の使い方に工夫が大事なんだと思う。

ノブ：僕は授業中の雑談とかもメモするようにしてました。でも、授業のノートを工夫したりとかって多分人によってまちまちというか、**自分に合ったものであれば何でもいいのかな**っていう。

田村：言ってみれば綺麗かどうかってあんまり関係がなくて、自分の部屋とかを想像してもらえばわかると思うんですけど、散らかっているように見えてもその人にとってはそれが一番過ごしやすいスタイルみたいなのがあると思うんですよ。そのときに重要なのが、「**何がど**

こにあるかが完全にわかってる」ということ。無理に整理整頓すると、どの情報がどこにあるかわからなくなってしまうこともある。だから僕が心がけていたのは、**あとから見て「これ何だっけ？」ってなるノートの取り方はしないようにしよう**、ということでしたね。

A. わからないところは、しっかりと記録しておく

山本：似たような方向で言うと、大学の話ですけど、僕は**わからないところが出てきたら「？」をつけておくようにしてました**。自分がわかっていないところがわかるように。

ノブ：それ、僕もやってました。

A. 問題の状況を絵に描く

須貝：問題を解くときの話で言うと、**物理や理科のノートには問題で聞かれていることの絵を必ず描くようにしてました**。もちろん、公式とか言葉の意味とかも大事なんですが、そこで何が起こっているかを理解するのが一番大事です。たとえばビーカーの中身の色が赤に変わるってことをちゃんと意識することが重要だと思う。だから、ビーカーの絵を描いて実際に赤ペンで色をつけていったりしてました。

A. まとめノートを作る

田村：僕はふだんの授業のノートとは別に、**各教科のポイント集みたいなノート**を作っていたんですよ。たとえば世界史だったら、何年にどんな出来事があったんだっけ？ って思ったときには、教科書に時系列に並べられているからその時代のところを見ればいい。でも、世

界史の先生が、記述問題を解くときのコツとして、「『日本のこれについて説明せよ』って言われたときは、海外で同じ時期に起こっていたことと対比した方が点数がよくなる」みたいなことを教えてくれたとするじゃないですか。これって重要な情報だけど、具体的な時代とか分野とは関係ない。記述問題で点数を取るためのコツだから、何か忘れたけど記述の重要なテクニックがあったよな……？ってなっても、「どこを見たら思い出せるか」がわからないんですよね。だからそういうポイントは別のノートを作ってそこにまとめてました。**これだけ見れば、各科目の入試で必要なテクニックは全部まとまっているノートみたいなものを作った。**

現代文だったら「逆説のあとが重要」みたいなことって、個々の文章とは関係のない内容だから、それもポイント集にまとめたりとか。数学とか物理だったら、こういうタイプの問題が出てきたら、座標じゃなくてベクトルで考えた方がうまく解けるみたいなポイントって、単元とはそんなに関係がないから個別のポイントとして別のところにまとめておいた方が、あとで確認しやすいんですよ。それで、**模試や入試の前にはそのポイント集をバーッて眺めると入試のテクニックを一気に復習した状態でのぞめる**から、実際に試してみてうまくいくかどうかもちゃんと確認できる。

Q3

机に向かってもSNSやYouTubeで遊んでしまい勉強に集中できません。集中力の高め方を教えてください

A. 集中するための工夫

◆ 山本の場合 …… カフェ／ノブの場合…… 図書館

山本：高校時代は、勉強しようと思ったらよくカフェに行ってましたね。その**カフェに行くと勉強するモードに切り換わる**。

ノブ：僕はそれが図書館でしたね。ちょっと違う視点から言うと、**図書館から一歩でも出たらもう寝るまで一切勉強しないっていうふうに決めると、家に帰ったら遠慮なく遊べるから、その分9時までは図書館で頑張ろうってなる**とか。あとは、友達と一緒に勉強していたんで、その中で一番意志の強かった僕が（笑）、みんなのスマホを回収して、「いまからこれをコインロッカーに突っ込んでくるから、2時間みんなで勉強しよう」って。

田村＆須貝：めっちゃいいやつじゃん……。

ノブ：そのおかげで、一緒に勉強していた友達の親にも感謝されたんですよ（笑）。合格させてくれてありがとうございますって。

◆ 須貝の場合 …… 毛布

須貝：「**毛布**」ですね。手元に何かないと落ち着かないんだなっていう自覚があったんでそれを膝の上とか、ずっと触れるところに置いておいて、問題が解けなくて考えている時間とかは、ずっと触っている。それがあることで他に気が散ったりすることなく集中できました。

インタビュアー：でもそれがないと逆に不安になったり、持っていけない場所があったりとか、そういうデメリットはなかったですか？
須貝：あるかもしれないですけど、似たようなものでどこにでも持っていけるものを探しましたね。僕の場合は布だったので、あんまり心配はなかったですね。毛布と同じ手触りの服が必要でしたけど、探したら奇跡的にあったんですよ（笑）。

◆ 田村の場合 …… 狭いところで
田村：とりあえず**集中したいときには狭いところに行くようにはしてました**。トイレぐらいのスペースが多分一番集中しやすいんですよ。関係ないものが視界に入らないし、広いところだとガヤガヤしててもシーンとしてても気になっちゃうし。

◆ 乾の場合 …… 自習室
乾：僕は基本的に自習室で勉強してました。すぐにスマホとか覗いちゃうんですけど、自習室だと周りに友達もいてみんなカリカリやってるから、「いや待てよ、みんな頑張ってるぞ」みたいな意識が働いて、そのおかげで自分をコントロールできたところはありますね。
須貝：そういう意味ではカフェよりも図書館とか自習室の方がより強制度は高いですよね。集中できるかどうかはわかんないけれども、やんなきゃいけないっていう焦りみたいなのが常に襲いかかってくる場所なので。
山本：周りの目が気になるような場所の方がいいとか、ひとりで他のものが目に入らないような場所でやりたいとか、人それぞれなので、自分に合った場所を見つけるのが大事ですね。

編集長・伊沢拓司が答えます！

プロジェクトってなあに？

QuizKnockは全国行脚を行い、中高生と直接交流を重ねています！

QK-goはどのようなプロジェクトですか？

そもそも「QK-go」という名前は我々の中で使っていたコードネームみたいなもので、対外的には**「QuizKnockがあなたの街に行きます！ プロジェクト」**としていました。まあ、Twitterでは“#QK go”で宣伝していたのであまり変わりませんが。**全国47都道府県にある中学・高校に我々が訪問し、クイズ大会や講演をお届けするというのが基本コンセプト**です。「訪問する学校は書類の文面を見て選考する」「学校側からは一切対価をいただかない」という原則の下、生徒さんの働きかけでご応募いただく、というスタイルを取っています。

このようなプロジェクトをやろうと思ったきっかけは？

もうこれはたくさんあるんですが、2つほど。

ひとつは、中高生のみなさんが我々のサービスのメインターゲットであるにもかかわらず、中高生のみなさんと直接対話する機会がほとんどなかったので、何とかそんな場を持ちたいというのが大きかったです。実際に会ってみて、**リアルな生徒さんたちが何を求めているのか、何が不要なのか、どうなりたいのか、どうして欲しいのかを肌感覚で知ることが**できたと思います。

当然ながら、**「対面でしか伝えられない学び」**を伝える、という側面もあります。これは須貝さんがよく**「本物が来る」**と表現しているんですが、「東大で学んだ」というある種希少な存在としての我々だったり、メディアで活動する存在としての我々だったりが各地に行くということは、ふだんは味わえない「本物が来る」体験だと思うんです。決してこれは不遜な物言いなのではなく、実際に**「ハレの日」「非日常」を味わって、モチベーションが湧き上がるきっかけ体験としては価値のあるものなのかな**と思っています。何より、僕たちがクイズだったり勉強そのものを「楽しんでいる」リアルさというのは、対面だと伝わるはず。スポーツでも、生観戦とか、サインをもらったりとか、そういう「本物を直に見る」経験は心に留まるものです。ですから、**勉強以外のことも含めて何か努力が動き**

出すきっかけになれればいいなという側面もあります。もちろん、我々が本物でいるための努力をし続けなきゃいけないんですけど。

実際に学校でやってみて好評だった取り組みは何ですか？

日々試行錯誤なので、同じスライドで同じ講演をしたつもりでもウケたりスベったりはします。その上で、いまはだいたい２つほどの定番メニューのうちどちらかをかける、という感じなんですが、**「クイズ王の職業体験」をしてもらいつつ「他者分析と自己分析」について共有するプログラムがウケている**気がします。「１分間でクイズを５問作って、隣の人に全問正解させてください」「前に表示する文章から、隣の人が絶対に正解できない問題を１分以内で作ってください」という２つの課題で「他者分析」について考えてもらい、さらにタイムショック形式で「無人島にひとつだけ持っていくなら？」などの質問をぶつけて「自己分析のあやふやさ」を実感してもらう。その上で、**「何かの上達のためには、他者分析で課題を認識し、自己分析でその解決法を探る」**という方法論を提示する……というプログラムです。正味、メッセージ性がそこまで強いわけではないと思うんです。１時間のプログラムで10分程度しか説教臭い部分がないとか、手近な方法論がメッセージとして用意されているとか、そのあたりがウケている気がします。何よりも**「ひとまず何かひとつは持って帰ってもらう」**ことが大事なので、多くを伝えようと欲張らないようにしないとな、と思っています。

「QK-go」の講演行脚のさなか、英語教師の安河内哲也先生とご一緒する機会があり、講演を拝見したんです。とても魅力的な先生で、500人オーバーの聴衆を無理なく巻き込んでいく引力がありました。それを見て、いろいろ気づいたんです。**「基本、楽しくなきゃ」「ためになる一言より、記憶に残る１時間だな」**とか。それ以来、プログラムの見直しを続けて、ある程度組み上がったのが現在のスタイルですね。

その取り組みに対して、生徒たちはどんな反応を返してきますか？

生徒さんたちは、本当にすごいです。僕たちが予想した以上の問題を作ってくるし、何よりクイズのスイッチが入ったときの反応がすごい。「絶対に正解させ

てください」という指定に対して、「ザリガニの卵の色は？」なんて問題が出るわけです。しかも、その子の問題に正解している子がいる。生徒さんたちをコントロールしようなどという考えはハナから持てませんでした。ただただ、**共通の言語を探してコミュニケーションをするべきだ、ということを体感しましたね。**予想外の反応が楽しく、スリリングです。

毎回反応には違いがありますから、正直、全校生徒参加の回なんかでは巻き込めないこともある。僕たちには50回目であっても、各学校にとってはたった一回の機会。ですからうまくいかないときは正直、申し訳ないです。**何度も成功と失敗を繰り返し、常にフォーマットをアップデートしています。**

やっていて伝えるのが難しかったことは何ですか？

もうこればっかりは山ほどあって、準備不足はすぐに露呈します。舞台上で感じる空気がもうダメ。メッセージとしての意義深さより、論理としての完成度が低いと雰囲気にヤラれます。かつて職業選択についての講演をしたとき、僕たちの動画を見せて「東大生らしい？ 東大生らしくない？」と問うたことがあったんですが、どちらとも取れない反応しか返ってこなかったことがありました。そもそも「東大生らしい」という概念がなかったんですね。中学生だからそれは本来当たり前なんですが、そこの見積もりが甘かった。そこから「自分の得意なことを、どんな分野でもいいから見つけてやっているのが東大生の特徴」というふうに論理展開してオトす予定だったんですが、軸となるポイントが共有できなかったのでそのあとはもうダメでした。僕たちの中で、相手の側に立てていなかったんですね。これはもうコミュニケーションじゃなくなっていた。

それ以来、**生徒さんたちの中にある概念を引き出すべく、クイズなどアクティビティを活かした講演へと切り替えていきました。いまでは講演の半分以上の時間、生徒さんたちの席の中で喋っています。**

QK-goを通じて気づいたことやわかったことはありますか？

「若者像」を規定することが大変に難しいことです。若者の反応は、若者自身の傾向以上に彼らがいる環境に依存します。要するに「空気」の作り方。たとえば、挨拶を徹底している学校は入ってすぐにそれがわかるんです。生徒さんたちが、目が合うやいなや挨拶してくれる。講演の空気なんかも、盛り上がっている場だったらより盛り上がりやすいし、逆もまたしかり。冷えていったものを再加熱するのはハードです。それだけ、空気と若者というものは密接に関わっている。

それでもなお、環境に依存した結果起こったことは、記憶や習慣として残るはずです。挨拶をした記憶が、その環境を外れても残る。周りの熱に乗って何となく盛り上がった講演が、ふと思い出される。ファンレターなどでもそのような声をいただき、自分たちの活動の意義を感じました。それと同時に、「若者はこんなものを喜ぶだろう」「これを話しておけばOKだろう」という固定観念オンリーで勝負してはいけない、ということも言えます。**まずはその場の空気をつかまないと、メッセージを伝える段階にすらたどり着けない。どんな学校かを調べ、仮説を立て、話題を用意する。**そして講演の現場ごとに、必死で頭を振りしぼってよい盛り上げ方を考える。ゲームのネタはウケるのか、テレビならどうか、QKメンバーの名前を出したときの反応はどうか……。「オレたちの考えをみんなにわからせる」というスタンスではなく、**「この場で築ける最善の学びを、一緒に経験する」**という姿勢でいるべきだなといまは感じています。

そもそもこの考え方自体が、**「楽しいから始まる学び」**というか、**「エンタメとしてクイズを楽しみ、終わってみたら何か少し持ち帰れるものがあった」**というQuizKnockのコンセプト通りなんですね。言葉としては掲げていても、それを実践するのには時間がかかったなぁ……と反省しています。

最後に、これからのQK-goが目指すところを教えてください

スタンスは基本変わりません。**「楽しいから始まる学び」**を体現するひとつの方法として、「QK-go」はあります。QuizKnockのコンテンツの大半とは違い、ともすると半強制的に「楽しいから始まる学び」を伝えにいくわけで、このコンセプト自体についてより深く見つめ、自分たちをブラッシュアップする場でもありますから、当然「QK-go」から他のプロジェクトへのフィードバックも大事になってきます。この書籍もそのような経験が活きているわけですね。

「QK-go」はもちろん、各学校に僕たちのメッセージを伝えにいく過程でもあるわけですが、何度も述べてきたように僕たちにとっても学びの場です。**洗練した学びを、訪問していない学校の生徒さんにまで届けることができたなら、それがこのプロジェクトのゴール**だと思います。

[2020年2月末時点での実績：26都道府県の29校を訪問。合計参加人数は12000人超]

EPILOGUE

ここまで読み進めていただき、ありがとうございます。最後に、少しだけこの本でやりたかったことを振り返ってみましょう。この本でやりたかったことは、**世の中の「勉強」に対するイメージを少しでも変えていくこと**でした。QuizKnockは、WebメディアやYouTube、アプリを通して、そうした活動を行っています。ただ、そうしたQuizKnockのコンセプトを、はっきりと言葉にまとめてみなさんにお伝えしておく機会が必要でした。

この本では、「勉強」を徹底的にポジティブなものとして描き出そうとしています。辛いもの、苦しいもの、大変なもの、でも、自分以外の誰かのためにやらないといけないもの。そういう勉強ももちろんあります。しかし、それだけが勉強ではありません。**もっと気楽で、楽しくて、自分のためにやりたいと思えるもの。そういう勉強だってあるんだ！**ということをお伝えすることができれば、こんなたった一冊の本でも、誰かの背中を押してあげたり、誰かの肩の重荷を取り去ってあげることができるんじゃないか、そういう想いで、QuizKnockメンバーの力を合わせてこの本を作り上げました。

第１章では、あなたが好きなもの、楽しいと思えるものをもっと楽しく深めていくための勉強について考えてみました。第2章では、大きな目標に向かっていくために必要な勉強を、どんなふうにしたら楽しいゲームにできるかを考えてみました。第3章では、自分が好きな人や自分と異なるものの見方をする人たちに近づいていくことで、自分を変えていくような学びについて考えてみました。こうやってまとめてみるとはっきりわかるように、この本は決して勉強術の本ではありません。**勉強のイメージをもっとポジティブなものに変えて、あなたが自分自身のための勉強を必要としたときに、それにさっと手が伸びるように背中を押すための本**として書いています。

本文だけでなく、各メンバーによるコラムやあなたが勉強をするときに役立つワークシートなど、いろんなコンテンツを詰め込みました。そして、文章とは違うかたちでもみなさんに楽しんでもらおうと、柏原昇店さんにステキなマンガを描いていただきました。編集者の松浦美帆さんには、なかなか足並みがそろわない私たちをうまく導いていただきました。いろんな人たちの協力で何とか送り出すことのできたこの本が、誰かにとって幸福な出会いとなることを祈っています。

QuizKnock

【著者】 **QuizKnock**（クイズノック）
東大クイズ王・伊沢拓司が中心となって運営する、エンタメと知を融合させたメディア。「楽しいから始まる学び」をコンセプトに、何かを「知る」きっかけとなるような記事や動画を毎日発信中。現在、全国の小・中学校、自治体での講演活動も積極的に行っている。YouTubeチャンネル登録者は120万人を突破（2020年３月時点）。
QuizKnock https://quizknock.com/

QuizKnockの課外授業シリーズ01
勉強が楽しくなっちゃう本

2020年4月30日 第１刷発行

著 者 **QuizKnock**
発行者 橋田真琴
発行所 朝日新聞出版
〒104-8011 東京都中央区築地5-3-2
電話 (03) 5541-8833（編集）
(03) 5540-7793（販売）
印刷所 大日本印刷株式会社

ISBN 978-4-02-331895-3